D0978466

En la red

MEREDITH WILD

- SERIE HACKER 1 -

TITANIA

Argentina • Chile • Colombia • España
Estados Unidos • México • Perú • Uruguay • Venezuela

Título original: *Hardwired – The Hacker Series One*
Editor original: Forever an imprint of Grand Central Publishing – Hachette Book Group, New York
Traducción: Catalina Freire Hernández

1.ª edición Octubre 2015

Aribau, 142, pral. – 08036 Barcelona
www.titania.org
atencion@titania.org

ISBN: 978-84-16327-03-4
E-ISBN: 978-84-9944-922-7
Depósito legal: B-18.159-2015

Fotocomposición: Ediciones Urano, S.A.U.
Impreso por Romanyà Valls, S.A. – Verdaguer, 1 – 08786 Capellades (Barcelona)

Impreso en España – *Printed in Spain*

Para mi madre,
por haberme rogado que me dedicase a escribir

1

—Qué día tan maravilloso —comenté.

El invierno empezaba a batirse en retirada y la primavera se abría paso en Boston. El campus de la Universidad de Harvard había despertado a la vida, repleto de estudiantes, turistas y vecinos de la ciudad.

Muchos estudiantes seguían llevando las togas de la ceremonia de graduación que había tenido lugar por la tarde, una ceremonia que aún daba vueltas en mi cabeza. Todo me parecía irreal, desde las agridulces despedidas de los amigos a la preocupación de tener que enfrentarme con los problemas del mundo real en los próximos días.

Experimentaba una mezcla de emociones: orgullo, alivio, ansiedad… Pero la emoción predominante era la felicidad. Estar en este momento, tener a Marie a mi lado.

—Lo es. Y nadie lo merece más que tú, Erica.

Marie Martelly, la mejor amiga de mi madre y mi salvadora particular, apretó cariñosamente mi mano antes de entrelazar mi brazo con el suyo.

Alta en comparación con mi pequeña estatura, casi me sacaba una cabeza. Su piel era del color del cacao y llevaba el pelo castaño prendido en docenas de cortas trencitas, un estilo que proclamaba su eterna juventud y su ecléctica personalidad. Una mujer esbelta y juvenil, a primera vista nadie podría imaginar que era la única madre que había tenido durante casi una década.

Conociendo a los padres de algunos compañeros, en esos años me había dado por pensar que a veces no tener padres era mejor que tenerlos. Algunos progenitores podían ser tan agobiantes. Estaban a tu lado, pero no había ningún vínculo emocional, o eran lo bastante mayores como para ser tus abuelos y la brecha generacional resultaba insalvable. Destacar parecía mucho más fácil cuando yo era la única que me presionaba para tener éxito.

Marie era diferente. En todos esos años, siempre me había ofrecido el apoyo preciso. Escuchaba atentamente mis pequeños dramas o las quejas sobre el trabajo y los exámenes finales, pero nunca me presionaba porque sabía que yo misma me encargaba de hacerlo.

Mientras paseábamos por las estrechas callecitas que surcaban el campus de Harvard, una suave brisa movía las ramas de los árboles sobre nuestras cabezas.

—Gracias por estar a mi lado hoy —murmuré, apretando su brazo.

—¡Por favor, Erica! Ya sabes que no me lo habría perdido por nada del mundo —sonrió, haciéndome un guiño—. Además, estoy disfrutando de este viaje al pasado. No recuerdo la última vez que pisé el campus y estar aquí me hace sentir joven de nuevo.

Su entusiasmo me hizo sonreír. Solo alguien como ella podía visitar su alma máter y sentirse más joven, como si el tiempo no hubiera pasado.

—Sigues siendo joven.

—Sí, supongo que sí. Pero la vida pasa a un ritmo vertiginoso, pronto lo descubrirás —Marie suspiró delicadamente—. ¿Estás lista para celebrar tu graduación?

Después de afirmar con la cabeza esbocé una sonrisa.

—Por supuesto, vamos.

Atravesamos la verja de entrada del campus y paramos un taxi para cruzar el río Charles hasta la ciudad de Boston. Unos minutos después, empujábamos las pesadas puertas de madera de uno de los mejores asadores de la ciudad.

Comparado con las soleadas calles, el interior del restaurante era oscuro y fresco, y un aire de refinamiento flotaba sobre los discretos murmullos de los clientes.

Nos sentamos a una mesa y, después de estudiar la carta, pedimos la cena y la bebida. El camarero nos sirvió enseguida dos vasos de whisky añejo con hielo, un gusto que había adquirido gracias a otras cenas con Marie. Después de varias semanas sobreviviendo gracias a sobredosis de café y comida para llevar, la mejor forma de celebrar mi graduación era tomando un buen whisky y un jugoso filete.

Distraída, acariciaba con el dedo el borde del vaso, preguntándome cómo habría sido aquel día si mi madre viviera. Tal vez seguiría en casa, en Chicago, y mi vida sería completamente diferente.

—¿En qué piensas, cariño?

La voz de Marie interrumpió mis pensamientos.

—En nada. Bueno, me gustaría que mi madre hubiera estado aquí —respondí en voz baja.

Ella apretó mi mano.

—Las dos sabemos que Patricia se habría sentido muy orgullosa de ti. Muchísimo.

Nadie había conocido a mi madre mejor que ella. A pesar de haberse separado después de la universidad, siguieron muy unidas durante años… hasta el amargo final.

Tuve que evitar su mirada para no sucumbir a la emoción que me embargaba cada vez que pensaba en mi madre. No iba a llorar aquel día. Aquel era un día feliz a pesar de todo. Un día que no olvidaría nunca.

Marie soltó mi mano para alzar su vaso, mirándome con los ojos brillantes.

—¿Qué tal un brindis por el siguiente capítulo?

Alcé mi vaso con una sonrisa cargada de nostalgia, esperando que el alivio y la gratitud llenasen el espacio vacío en mi corazón.

—¡Salud!

Después de brindar tomé un largo trago, disfrutando de la quemazón del licor en mi garganta.

—Por cierto, ¿qué piensas hacer ahora, Erica?

Suspirando, intenté concentrarme en mi vida actual y en las presiones a las que estaba sometida.

—Esta semana tenemos la presentación en Angelcom y luego, no sé cuándo, tendré que decidir dónde voy a vivir.

—Podrías quedarte en mi casa durante un tiempo.

—Lo sé, pero necesito instalarme definitivamente en algún sitio y vivir sola por primera vez. De hecho, estoy deseando hacerlo.

—¿Alguna idea?

—No, aún no, pero necesito irme de Cambridge.

Vivir en Harvard había sido maravilloso, pero el mundo académico y yo necesitábamos darnos un respiro. Durante el último año había trabajado sin descanso, preparando la tesis, intentando llevar un negocio y lidiando con los habituales momentos de angustia del estudiante de último curso. Estaba deseando empezar el próximo capítulo de mi vida lejos del campus.

—No es que quiera que te vayas, ¿pero estás segura de que vas a quedarte en Boston?

—Estoy segura —afirmé—. Mi negocio podría llevarme a Nueva York o California en algún momento, pero por ahora me siento feliz aquí.

Boston era una ciudad difícil a veces. Los inviernos aquí eran infernales, pero la gente era apasionada, fuerte y a menudo dolorosamente directa. Con el tiempo me había convertido en uno de ellos y no podía imaginarme en ningún otro sitio. Además, sin tener unos padres con los que volver, Boston se había convertido en mi hogar.

—¿Has pensado alguna vez volver a Chicago?

—No —respondí, saboreando la ensalada mientras intentaba no pensar en toda la gente que podría haber estado aquí conmigo hoy—. En Chicago ya no me queda nadie. Elliot volvió a casarse y ahora tiene hijos. Y la familia de mi madre siempre ha sido… ya sabes, un poco distante.

Desde que mi madre volvió de la universidad veintiún años atrás, embarazada y sin planes de matrimonio, decir que la relación con sus padres había sido tensa era quedarse corto. Incluso de niña, los pocos recuerdos que tenía de mis abuelos eran ingratos y marcados por cómo había llegado a sus vidas.

Mi madre nunca hablaba de mi padre, pero si las circunstancias de mi concepción eran tan tristes como para que guardase silencio, seguramente era mejor no saber nada. Al menos, eso era lo que me decía a mí misma cuando empezaba a picarme la curiosidad.

La tristeza en los compasivos ojos de Marie reflejaba la mía.

—¿Sabes algo de Elliot?

—Suele llamarme durante las vacaciones, pero ahora está muy ocupado con sus dos hijos pequeños.

Elliot era el único padre que había conocido. Se había casado con mi madre cuando yo era muy pequeña y habíamos compartido muchos años de feliz vida familiar. Pero un año después de la muerte de mi madre, angustiado ante la idea de tener que criar solo a una adolescente, me envió a un internado en la costa Este con el dinero de mi herencia.

—Lo echas de menos —dijo Marie, como si hubiera leído mis pensamientos.

—A veces —admití—. Nunca pudimos volver a ser una familia sin mi madre.

Recordaba bien lo incómodos y perdidos que nos habíamos sentido cuando murió. A día de hoy estábamos unidos solo por su recuerdo; un recuerdo que iba palideciendo poco a poco con el paso de los años.

—Elliot tenía buenas intenciones, Erica.

—Ya lo sé, no le guardo ningún rencor. Los dos somos felices y eso es lo único que importa.

Con un título de la Universidad de Harvard y un negocio en ciernes bajo el brazo, no lamentaba lo que Elliot había hecho porque, al final, me había puesto en el camino que me llevó hasta donde estaba aquel día. Pero nada podía cambiar la realidad: que nos habíamos ido alejando con el paso de los años.

—Entonces, dejemos el tema. Hablemos de tu vida amorosa.

Esbozó una cálida sonrisa, sus preciosos ojos almendrados resplandecían bajo las suaves luces del restaurante.

Solté una carcajada, sabiendo que querría detalles… si tuviese alguno que compartir.

—Me temo que no hay nada nuevo que contar. ¿Qué tal si hablamos de ti? —sugerí, sabiendo que mordería el anzuelo.

Sus ojos se iluminaron mientras me hablaba de su nuevo amor: Richard, un periodista de la jet set casi diez años menor que ella. Aunque eso no era una sorpresa para mí porque Marie se mantenía en forma para su edad y era joven de corazón. De hecho, a menudo tenía que recordarme a mí misma que era de la edad de mi madre.

Mientras me hablaba de Richard, disfruté de una corta historia de amor con mi cena. Perfectamente cocinado e impregnado en una reducción de vino tinto, el entrecot se derretía en mi boca.

La fantástica cena casi me compensaba por los últimos meses de privación sexual. Y si no hubiera sido así, el plato de fresas recubiertas de chocolate que tomamos de postre habría sido más que suficiente.

Mi estancia en la universidad me había ofrecido muchas oportunidades para tener breves aventuras, pero al contrario que Marie, yo nunca había buscado el amor. Y ahora que mi objetivo era levantar un negocio, apenas tenía tiempo para hacer vida social y mucho menos para tener relaciones sexuales.

Vivía todo eso a través de Marie y me complacía de verdad que un hombre le alegrase la vida.

Terminamos de cenar y, mientras ella iba un momento al lavabo, me dirigí hacia la puerta sintiéndome un poquito «alegre».

Devolví el saludo al maître, que me daba las gracias, y un segundo después, al dar media vuelta, choqué contra un hombre que entraba en ese momento en el restaurante.

Él me sujetó por la cintura con las dos manos mientras yo intentaba no perder el equilibrio.

—Lo siento, no…

Cuando nuestros ojos se encontraron no pude terminar la frase. Una especie de tornado entre pardo y verde me impedía articular palabra.

Guapísimo. El hombre era guapísimo de caerse de espaldas.

—¿Se encuentra bien?

Su voz parecía vibrar dentro de mí, haciendo que me temblasen las rodillas. Él pareció notarlo porque apretó mi cintura, empujándome un poco más hacia su torso, y eso no me ayudó a recuperar la compostura. El abrazo, posesivo y exigente, como si tuviera todo el derecho a mantenerme así durante el tiempo que quisiera, aceleró mi corazón.

Una pequeña parte de mí, la que no suspiraba de deseo por aquel extraño, quería protestar por esas confianzas, pero cualquier pensamiento racional se evaporó al contemplar sus facciones.

No podía ser mucho mayor que yo. Salvo por el alborotado pelo castaño parecía el típico ejecutivo, con una chaqueta de color gris oscuro sobre una camisa blanca con dos botones desabrochados. Parecía un hombre adinerado.

«No está a tu alcance, Erica», me dijo una vocecita, recordándome que debía responder.

—Sí, estoy bien. Perdone.

—No hay nada que perdonar —murmuró él, esbozando una seductora sonrisa.

Sus sensuales labios, de quitar el habla con mi cara a unos centímetros de la suya, estaban cargados de promesas, y cuando se pasó la lengua por el labio inferior un suspiro escapó de mi garganta.

Dios, la energía sexual que emanaba aquel hombre era como un maremoto.

—Señor Landon, su grupo ya está aquí.

Mientras el maître esperaba que respondiera, yo me erguí del todo, convencida de que podría mantenerme en pie, pero apoyando una mano en su torso, duro e implacable bajo la chaqueta. Él me soltó entonces, sus manos dejaron un rastro de fuego sobre mis caderas mientras las apartaba con más lentitud de la necesaria.

«Santo cielo». El delicioso postre no podía compararse con aquel hombre.

Él asintió, sin dejar de mirarme, paralizándome con ese hilo invisible que parecía conectarnos.

Sentía el irracional deseo de que volviese a tocarme, que me poseyera como había hecho antes. Si había conseguido que me diese vueltas la cabeza con un simple roce, a saber lo que podría hacer en el dormitorio.

Me pregunté entonces si habría un guardarropa cerca. Podríamos averiguarlo en aquel mismo instante.

—Por aquí, señor —insistió el maître, intentando que mi rescatador lo siguiese.

Él se apartó con relajada desenvoltura y yo me quedé temblando de la cabeza a los pies. Marie apareció a mi lado mientras lo observaba alejarse, un escándalo de hombre.

Debería sentirme avergonzada, pero la verdad es que mi falta de equilibrio sobre unos tacones de doce centímetros me alegraba más que nunca. No tenía vida amorosa de ningún tipo, pero el hombre misterioso se convertiría en el protagonista de muchas fantasías desde entonces.

Ascendí los anchos escalones de granito de la biblioteca y atravesé interminables pasillos hasta el despacho del profesor Quinlan, que estaba muy concentrado frente a la pantalla de su ordenador cuando llamé a la puerta.

—¡Erica, mi emprendedora favorita! —exclamó, girándose en la silla.

Su acento irlandés era menos pronunciado después de vivir en Estados Unidos durante tantos años, pero a mí me parecía encantador y saboreaba cada una de sus palabras.

—Cuéntame, ¿qué tal te sienta la libertad?

Tuve que sonreír, contenta ante tan cálido recibimiento. Quinlan era un hombre atractivo de cincuenta y pocos años, con el pelo canoso y amables ojos de color azul pálido.

—Si quiere que sea sincera, aún estoy intentando acostumbrarme. ¿Y usted? ¿Cuándo empieza su año sabático?

—Me marcho a Dublín en unas semanas. Tienes que ir a visitarme este año, si encuentras tiempo.

—Me encantaría, desde luego —repliqué.

¿Cómo sería aquel año para mí? Con un poco de suerte, estaría muy ocupada intentando sacar a flote mi negocio, pero en realidad no sabía qué esperar.

—Creo que me resultará raro verlo fuera del campus, profesor.

—Ya no soy tu profesor, Erica. Llámame Brendan, por favor. Ahora soy tu amigo y tu mentor, y espero que nos veamos a menudo fuera de este despacho.

Las palabras del profesor Quinlan me conmovieron y se me hizo un nudo en la garganta. Todo me emocionaba aquella semana, maldita fuera. Quinlan había sido un apoyo increíble para mí en estos últimos años, guiándome en mis estudios, haciendo contactos para promocionar mi negocio, amén de un incansable animador cada vez que necesitaba un empujón.

—No sé cómo darle las gracias, de verdad.

—Ayudar a gente como tú es lo que me anima a levantarme cada mañana. Además, me mantiene alejado del pub —bromeó Quinlan, con una sonrisa torcida que descubría un solitario hoyuelo en la mejilla.

—¿Y Max?

—Por desgracia, el interés de Max por el alcohol y las mujeres era mucho mayor que su deseo de triunfar en los negocios, pero parece que al final ha conseguido hacerse un hombre de provecho. No sé si yo he tenido algo que ver, tal vez. No todos pueden ser como tú, querida.

—Me preocupa tanto que mi negocio no funcione a largo plazo —le confesé, esperando que él tuviese la visión de futuro que a mí me faltaba.

—Estoy convencido de que tendrás éxito. Si no con esta, con alguna otra empresa. Nadie sabe dónde va a llevarle la vida, pero tú te sacrificas y trabajas mucho para hacer realidad tus sueños. Mientras tengas claro el objetivo y no lo pierdas de vista irás en buena dirección. Al menos, eso es lo que yo me digo a mí mismo.

—Suena bien —afirmé.

Nerviosa por la presentación del día siguiente, que sería fundamental para mi negocio y para mí, necesitaba todo el ánimo posible.

—El día que tenga todas las respuestas te lo diré —me prometió.

Francamente, no sabía si sentirme inspirada o descorazonada al saber que a veces el profesor se sentía tan desorientado como yo.

—Mientras tanto, vamos a ver qué tienes para nuestro amigo Max —Quinlan señaló la carpeta que yo sostenía mientras limpiaba su escritorio de papeles.

—Sí, claro.

Saqué el plan de negocios y mis notas y nos pusimos a trabajar.

2

La recepcionista del grupo inversor *Angelcom* lanzó sobre mí una mirada inquisitiva antes de llevarme a la sala de juntas, al final de un largo pasillo. Me miré de arriba abajo a toda prisa para comprobar que mi apariencia era impecable. De momento, ningún desastre a la vista.

—Póngase cómoda, señorita Hathaway. El resto del grupo llegará enseguida.

—Gracias.

Tomé aire, aprovechando que iba a estar sola un momento. Deslicé los dedos por el borde de la mesa de reuniones hasta que me encontré delante de una pared de cristal desde la que se veía el puerto de Boston. El temor se mezclaba con una creciente ansiedad. En un momento estaría cara a cara con algunos de los inversores más ricos e influyentes de la ciudad. Aquello era tan nuevo para mí que no podía controlar los nervios y sacudí las manos, intentando que el resto de mi cuerpo se relajase un poco.

—¿Erica?

Un hombre de mi edad, de pelo rubio con raya a un lado, ojos azul oscuro y un impresionante traje de chaqueta de tres piezas, se acercó para estrechar mi mano.

—Tú debes ser Maxwell.

—Por favor, llámame Max.

—El profesor Quinlan me ha hablado mucho de ti.

—No creas una sola palabra —Max rio, mostrando unos dientes blancos y perfectos en contraste con una piel bronceada muy poco frecuente en alguien que vivía en Nueva Inglaterra.

—Todas cosas buenas, lo prometo —mentí.

—Es un detalle por su parte. Le debo una. ¿Esta es tu primera reunión promocional?

—Me temo que sí.

—Todo irá bien. Recuerda, la mayoría de nosotros hemos pasado por esto en algún momento.

Sonreí para mis adentros, sabiendo que Max Hope, heredero del famoso armador Michael Pope, no habría tenido que pedirle a nadie que no fuera su padre dos míseros millones de dólares. A pesar de todo, él era la razón por la que estaba allí esa mañana y se lo agradecía. Quinlan sabía a quién debía pedirle un favor.

—Toma lo que quieras. La bollería es estupenda —Max indicó un espléndido bufé de desayuno a un lado de la sala.

El nudo que tenía en el estómago no me permitiría probar bocado, pero debía controlar los nervios. Aquella mañana ni siquiera había podido tomar un café.

—Gracias, quizá más tarde.

El resto de los inversores empezaron a llegar y, después de las presentaciones, intenté entablar conversación, maldiciendo en silencio a Alli, mi mejor amiga, socia ausente y jefa de marketing.

Alli podía charlar animadamente hasta con un bote de sopa mientras yo solo tenía en la cabeza las cifras y datos que iba a presentar, y eso no era lo ideal para romper el hielo con gente a la que no conocía.

Cuando todos empezaron a sentarse alrededor de la mesa de juntas, me coloqué en una de las cabeceras, organizando y estudiando mis documentos por enésima vez mientras miraba el reloj de la pared. Tenía veinte minutos para convencer a aquel grupo de extraños de que merecía la pena invertir en mi empresa.

El murmullo de voces se atenuó, pero cuando busqué a Max con la mirada, esperando la señal para empezar, él señaló una silla vacía frente a mí.

—Estamos esperando a Landon.

¿Landon?

La puerta de la sala de juntas se abrió en ese momento.

«Madre mía». Se me olvidó hasta respirar.

Porque en la sala de juntas entró el hombre misterioso, metro ochenta y cinco de glorioso atractivo masculino, en nada parecido a sus trajeados colegas. El jersey negro con escote en V destacaba su ancho torso y los esculturales hombros, y los tejanos desteñidos se pegaban a sus muslos como un sueño. Sentí un hormigueo en la piel al imaginar los fuertes brazos masculinos alrededor de mi cuerpo una vez más, fuese por accidente o no.

Con un vaso de café con hielo en la mano, Blake Landon se dejó caer sobre la silla vacía, aparentemente despreocupado por el retraso o por su aspecto informal, y esbozó una perspicaz sonrisa. No se parecía al elegante ejecutivo en cuyos brazos había caído de manera fortuita la otra noche, pero una vez más iba despeinado; su pelo castaño oscuro tieso y erizado, como suplicando que pasara los dedos por él. Me mordí los labios, intentando disimular la fascinación que provocaba en mí ese cuerpazo.

—Te presento a Blake Landon —dijo Max—. Blake, Erica Hathaway. Está aquí para presentar su red social de moda, Clozpin.

Landon permaneció en silencio durante unos segundos.

—Un nombre interesante. ¿La has traído tú?

—Sí, tenemos un amigo común en Harvard.

Blake asintió, clavando en mí una penetrante mirada que me hizo sonrojar. Se pasó la lengua por los labios y ese simple gesto provocó la misma reacción que la noche que nos conocimos.

Intenté respirar mientras cruzaba las piernas, consciente del cosquilleo que provocaba entre ellas.

«Cálmate, Erica».

La bola de nervios que reposaba en mi estómago hasta unos segundos antes se había convertido en una masa de energía sexual que me tenía temblando de la cabeza a las partes bajas.

Dejé escapar el aliento despacio mientras pasaba las manos por las solapas de mi chaqueta negra, enfadada conmigo misma por quedarme embelesada en un momento tan inconveniente.

Tartamudeando un poco, empecé con la presentación. Expliqué la premisa de la página web y seguí con una breve descripción de los cuatro años de marketing básico y el resultante crecimiento exponencial, intentando desesperadamente mantener la concentración. Cada vez que mis ojos se encontraban con los de Blake, mi cerebro amenazaba con sufrir un cortocircuito.

Por fin, él me interrumpió:

—¿Quién ha diseñado la página?

—El cofundador de la empresa, Sid Kumar.

—¿Y dónde está?

—Desafortunadamente, los cofundadores no han podido venir, aunque era su intención.

—Entonces, ¿usted es la única del equipo dedicada al proyecto ahora mismo?

Blake arqueó una ceja mientras se arrellanaba en la silla y tuve que hacer un esfuerzo para apartar la mirada de su torso.

—No, yo… —empecé a decir, intentando encontrar una respuesta sincera—. Acabamos de graduarnos en Harvard, así que el nivel de compromiso en los próximos meses dependerá de la estabilidad económica del proyecto.

—En otras palabras, la dedicación de sus compañeros depende de los fondos que obtengan.

—En cierto modo.

—¿Y la suya?

—No —respondí con aspereza, a la defensiva ante ese ataque.

Lo había dedicado todo al proyecto durante meses, sin pensar en nada más.

—Siga —Blake hizo un gesto con la mano.

Tomé aliento, mirando mis notas para recuperar el rumbo.

—En este momento estamos buscando una inyección de capital para el departamento de marketing, con objeto de aumentar el crecimiento y los ingresos.

—¿Cuál es su índice de conversión?

—Desde visitas a usuarios registrados, alrededor de un veinte por ciento…

—¿Y en cuanto a usuarios de pago? —me interrumpió.

—Alrededor del cinco por ciento de nuestros usuarios abren cuentas de pago.

—¿Y cómo piensa mejorar eso?

Impaciente, empecé a martillear sobre la mesa con los dedos, intentando ordenar mis pensamientos. Cada pregunta sonaba como un reto o un insulto, pulverizando las palabras de ánimo que me había dirigido a mí misma antes de la reunión.

Al borde de un ataque de pánico, miré a Max buscando una señal de esperanza, pero él parecía divertido por la actitud del señor Landon, que debía ser algo habitual. Los demás alternaban entre mirar sus notas o a mí, sin mostrar ninguna indicación de interés en un sentido u otro.

Por un segundo había pensado que nuestro abrupto encuentro en el restaurante haría que fuese más indulgente conmigo, pero no iba a ser así. El hombre misterioso estaba resultando ser un idiota.

—Nos hemos concentrado en conseguir y mantener la afiliación básica que, como he mencionado, está creciendo viralmente. Con una sólida base de clientes potenciales, esperamos atraer más distribuidores y marcas de la industria, y aumentar la afiliación de pago.

Hice una pausa, preparándome para otra interrupción, pero por suerte el móvil de Blake se iluminó, distrayéndolo un momento.

Aliviada al no estar sometida a ese escrutinio, seguí hablando sobre análisis de la competencia y previsiones financieras antes de que terminase mi tiempo.

En la sala de juntas se hizo un incómodo silencio. Blake tomo un sorbo de café, apagó el móvil y volvió a dejarlo sobre la mesa.

—¿Sale con alguien?

Mi corazón se volvió loco y sentí que me ardía la cara, como si un profesor me hubiese llamado a la pizarra inesperadamente.

¿Que si salía con alguien? Lo miré, atónita, sin saber si había entendido bien la pregunta.

—¿Perdone?

—Las relaciones pueden robar mucho tiempo. Ese podría ser un factor a tener en cuenta para conseguir o no los fondos que necesita porque afectaría a su capacidad de crecimiento.

No, no lo había malinterpretado. Como si ser la única mujer en la reunión no fuera presión más que suficiente, Blake Landon había puesto el foco sobre mis relaciones personales.

«Cretino misógino».

Apreté los dientes, en esta ocasión para no soltar una retahíla de improperios. No podía perder la calma, pero tampoco iba a dejar pasar tan inapropiado comentario con una sonrisa.

—Le aseguro, señor Landon, que estoy comprometida con este proyecto al cien por cien —afirmé, con voz pausada y firme. Lo miraba a los ojos, intentando dejar claro que no me gustaba nada su actitud—. ¿Quiere hacer alguna otra pregunta sobre mi vida personal que pueda influir en su decisión?

—No, creo que no. ¿Max?

—Pues… no, creo que ya disponemos de la información necesaria. Señores, ¿están dispuestos a tomar una decisión? —Max sonrió, haciendo un gesto hacia los demás.

Uno tras otro, los tres hombres trajeados elogiaron mis esfuerzos antes de anunciar que, por el momento, no estaban interesados.

Mirándome a los ojos, Blake hizo una pausa antes de emitir su veredicto, con la misma frialdad con la que había destrozado mi charla promocional:

—Yo paso.

Las alarmas de pánico se encendieron y mis ojos se empañaron mientras mi vocecita interior parecía dispuesta a dar un discurso de despedida que incluía decirle al señor Landon dónde podía meterse su opinión.

Miré a Max, esperando el golpe final.

—Creo que tienes un proyecto estupendo del que me gustaría saber algo más. Nos reuniremos de nuevo en las próximas semanas para hacer un seguimiento y estudiar la logística. Después de eso, decidiremos si podemos ofrecerte un acuerdo. ¿Qué te parece?

«Menos mal».

Quería ponerme a dar saltos sobre la mesa y abrazar a Max.

—Me parece estupendo.

—Muy bien, entonces creo que hemos terminado.

Max salió con los demás hombres de la sala de juntas, dejándome a solas con Blake Landon, que sonreía con gesto petulante.

No sabía si darle una bofetada o atusarle el pelo, aunque tenía en mente varias cosas más. Y experimentar emociones tan contradictorias por alguien en tan corto período de tiempo hacía que cuestionase mi cordura.

—Lo ha hecho muy bien —anunció Blake con una voz ronca, profunda, que me hizo sentir escalofríos.

—¿En serio? —repliqué, sorprendida.

—En serio —me aseguró él—. ¿Puedo invitarla a desayunar?

Su expresión se había suavizado, como si no hubiéramos pasado los últimos veinte minutos enfrentados el uno al otro.

Desconcertada, guardé mis notas en el bolso. Blake era un hombre guapísimo, pero si creía que iba a salir con él después de ese numerito estaba sobrestimando su encanto.

—Hay un pub estupendo frente a la oficina y ofrecen un desayuno irlandés completo —insistió.

Lo miré directamente a los ojos, encantada por la oportunidad de devolverle el golpe.

—Ha sido un placer, señor Landon, pero algunos tenemos que trabajar.

—¿Te pidió que salieras con él? —al otro lado del teléfono, el ruido del tráfico de Nueva York se mezclaba con la voz de Alli.

—Sí, creo que sí —respondí, sin dejar de darle vueltas a lo que había pasado por la mañana.

—¿Te pusiste el traje de chaqueta negro, con la blusa de color verde azulado?

—Sí, claro —asentí, dejándome caer sobre el futón de nuestra habitación mientras intentaba quitarme la blusa.

—Bueno, entonces lo entiendo. Estás guapísima con ese conjunto. ¿Blake está bueno?

Blake Landon era uno de los hombres más fascinantes que había conocido nunca, pero no parecía tener ningún respeto por las mujeres empresarias y eso empañaba mi atracción por él. Por desgracia, estaba a punto de entrar en la lista de las diez personas a las que más odiaba.

—Da igual, Alli. Nunca me había sentido más humillada —hice una mueca, reviviendo sus desafíos y el posterior rechazo.

—Tienes razón, perdona. Me habría gustado estar allí para echarte una mano.

—A mí también. En fin, ¿qué tal la entrevista?

Alli hizo una pausa.

—Ha estado bien.

—¿Sí?

—De hecho, muy bien. No quiero gafarla, pero me ha parecido muy prometedora.

—Estupendo.

Intenté esconder mi decepción al saber que estaba contenta con la entrevista. ¿Pero cómo no iba a estarlo? Trabajaría con el director de marketing de una de las firmas de moda más importantes del mundo. Sabía que Alli iba a buscar trabajo en cuanto nos hubiéramos graduado, pero la posibilidad de llevar la empresa sin ella me deprimía. A menos que pudiéramos contratar un nuevo director de marketing tendría que convertirme en la portavoz del negocio y, francamente, crear redes de contactos nunca había sido mi fuerte.

—Pero aún no es nada definitivo, ya veremos.

—Deberíamos celebrarlo —sugerí. Desde luego, necesitaba una recompensa por sobrevivir a aquella mañana horrible.

—¡Deberíamos brindar por nuestro nuevo mejor amigo, Max! —gritó Alli.

Sonreí, sabiendo que Max era su tipo. A mi amiga le volvían loca los hombres con trajes de tres piezas.

—Con un poco de suerte, al decir que habrá una segunda reunión no estaba solo devolviéndole el favor a Quinlan.

—Nadie ofrece una posible inversión de dos millones de dólares solo como un favor.

—Sí, es verdad, pero no quiero que invierta a menos que esté realmente interesado en hacerlo.

—Erica, le estás dando demasiadas vueltas, como siempre.

—Tal vez —asentí, suspirando.

Esperaba que tuviese razón, pero no podía dejar de imaginar todo tipo de circunstancias, intentando prepararme para cada una de ellas. Habiendo tanto en juego, mi cerebro no era capaz de parar.

—El tren sale dentro de una hora —siguió Alli—. Llegaré antes de cenar y luego saldremos a tomar una copa.

—Muy bien, nos vemos luego.

Corté la comunicación antes de levantarme para buscar mi pantalón de chándal favorito, el que reservaba para las rupturas y las resacas. Aquel día me había dejado exhausta.

Me detuve un momento frente al espejo de cuerpo entero en el dormitorio que compartía con Alli para deshacer el moño francés, dejando que el cabello rubio ondulado cayese por mi espalda. Estaba más delgada de lo habitual por culpa del estrés de las últimas semanas, pero el conjunto de ropa interior seguía moldeando mis sutiles curvas.

Pasé las manos por el suave encaje que se ajustaba a mis caderas, deseando que fuesen las manos de otra persona para hacerme olvidar el día de hoy.

No había esperado que un inversor engreído me trastornase de tal modo durante mi primera reunión promocional, pero la reacción física que Blake Landon había provocado dejaba claro que necesitaba retomar mi vida social. Tenía que salir y conocer gente. Alejarme del ordenador, al menos los sábados por la noche. Era entonces cuando, normalmente, hacíamos el mantenimiento de la página porque el tráfico era más lento, pero a este paso no volvería a tener una relación hasta cumplir los treinta.

Intentando olvidar las preocupaciones, me vestí antes de enviar un correo a Sid con las noticias, aunque sabía que estaría dormido. Sid, un ser nocturno por naturaleza como muchos programadores, había caído en cama con gripe el día antes de la reunión. Tampoco él era un gran portavoz, la verdad, pero la fuerza está en los números y su apoyo me habría venido bien.

El negocio nos mantenía a flote a los tres, cubriendo los costes y nuestros modestos gastos como estudiantes universitarios, pero el título de una universidad tan prestigiosa como Harvard ponía el listón muy alto en cuanto a expectativas profesionales.

Mientras Sid y Alli habían estado buscando trabajo, como cualquier estudiante responsable de último curso, yo lo había puesto todo en Clozpin, convencida tras nuestro éxito inicial de que podía convertirlo en algo mucho mejor que un simple trabajo de oficina para todos nosotros.

Conseguir que Max invirtiese en Clozpin podría ser mi última esperanza antes de verme obligada a renunciar a ese sueño y buscar un trabajo normal. Mientras tanto, tenía menos de una semana para irme del campus y encontrar un sitio en el que vivir.

El olor a café me despertó, pero en cuanto abrí los ojos sentí como si mi cabeza estuviese a punto de explotar.

—Maldito vino —murmuré, pasando los dedos por mis sienes, como si así pudiese hacer que el dolor desapareciera.

Me senté en la cama, envuelta en el edredón, dando las gracias a los dioses cuando mi socia me ofreció una taza de café y una pastilla de ibuprofeno.

—No importa, lo pasamos genial.

Alli se sentó a mi lado con su taza. Llevaba el pelo castaño sujeto en un moño desordenado, un top ancho de hombro caído y unas mallas negras. Y, como siempre, estaba guapa sin hacer el menor esfuerzo.

—Hacía siglos que no te veía pasándolo tan bien. Merecías un respiro, Erica.

—La reunión me había sacado de quicio —comenté, agradecida a pesar de la jaqueca porque mis nervios parecían haberse calmado.

—Bueno, cuéntame más cosas de Max. ¿Cuándo voy a conocerlo? Según la Erica borracha, somos almas gemelas.

Reí al recordar los detalles de la noche anterior. Ninguna noche de copas estaba completa sin una charla sobre hombres.

—Solo sé lo que me contó el profesor Quinlan: que es inteligente, pero en la universidad siempre estaba metido en líos. No creo que hubiera podido graduarse sin la ayuda de Quinlan y un título es lo único que su papá no podía comprarle.

Me encogí de hombros, queriendo otorgarle a Max el beneficio de la duda después de haberme salvado de una humillación total.

—Pero supongo que no es fácil respetar las normas teniendo un padre multimillonario. Algunas personas no saben lidiar con tanta libertad.

—Estupendo porque yo estoy buscando *playboys* multimillonarios a los que domar —Alli esbozó una pícara sonrisa.

—No tengo la menor duda —murmuré, poniendo los ojos en blanco.

—¿Entonces, ahora solo se dedica a hacer inversiones?

—La verdad es que no sé muy bien a qué se dedica, aparte de Angelcom. Con tanto dinero, seguramente hará todo tipo de cosas.

—Muy bien, entonces habrá que buscarlo en la Red —Alli tomó su portátil y, un segundo después, empezó a leer el currículo de Max, que incluía generosas aportaciones a asociaciones benéficas e inversiones en empresas de Internet—. Vamos a ver qué podemos averiguar sobre Blake Landon.

Apreté la taza con fuerza al recordar que la noche anterior había despotricado sobre lo ofensivo e insoportable que Blake había sido en la reunión. Que creyese que podía hacer descarrilar mi presentación y salir conmigo después era increíble, pero siendo tan atractivo seguramente tenía hordas de mujeres comiendo en la palma de su mano sin hacer el menor esfuerzo.

Por desgracia para él, yo no era una de esas mujeres. La cólera que provocaba en mí solo era mitigada por la impía emoción que sentía bajo su penetrante mirada.

—Por favor, me importa un bledo.

De entre todas las emociones que Blake Landon me hacía experimentar intenté concentrarme en la rabia, pero en realidad sentía una secreta curiosidad por lo que Alli pudiese descubrir. Hasta el día anterior no había oído hablar de él, pero a juzgar por cómo manejaba el cotarro en Angelcom, debía tener mucha influencia.

Alli miraba fijamente la pantalla del ordenador, leyendo con interés hasta que, por fin, me rendí.

—Bueno, ¿qué has descubierto?

—Es un *hacker*.

—¿Qué?

Debía tratarse de otro Blake Landon, aunque en la reunión no parecía precisamente un honrado ejecutivo o un ciudadano ejemplar.

—Al menos lo ha sido. Se rumorea que tiene contactos con el M89, el grupo de *hackers* estadounidenses que hizo peligrar más de doscientas prestigiosas cuentas bancarias hace quince años, pero no dice mucho más. Oficialmente, es el fundador de Banksoft, que fue adquirido por doce mil millones de dólares. También es el director ejecutivo de Angelcom e inversor activo en varias compañías jóvenes de Internet.

—Un multimillonario hecho a sí mismo entonces.

—Eso parece. Solo tiene veintisiete años y aquí dice que sus padres son profesores.

Esa información no consiguió mermar la rabia que sentía por el sabotaje de mi presentación, pero sí despejaba algunas dudas. Debía admitir que lo respetaba un poco más al saber que no había recibido su fortuna en bandeja de plata, pero entre él y Max, él era quien actuaba como si fuera un niño privilegiado y no al revés.

—En fin, supongo que ya no importa demasiado. Con un poco de suerte, no volveremos a vernos.

3

Llevaba horas lloviznando, los hilillos de agua se deslizaban por el alféizar de la ventana al lado de mi escritorio, frente a uno de los muchos patios del campus. Las habitaciones estaban silenciosas, ya que muchos estudiantes se habían ido a casa al final del semestre, de modo que decidí trabajar un rato.

Estaba comprobando las estadísticas de Clozpin cuando en la pantalla de mi ordenador apareció una alerta de correo con un nombre que no reconocía. El asunto era: *Ponentes para el Congreso TechLabs.*

Sentí un escalofrío de emoción al leer el mensaje. Me pedían que cubriese un puesto de ponente debido a una cancelación de última hora en *TechLabs*, el congreso tecnológico más importante del año.

—Alli…

Mi amiga, que estaba echándose la siesta, resopló bajo la manta.

—¿Quieres ir a Las Vegas?

—Pensé que tenías resaca.

—Así es, pero acaban de invitarme a participar en el Congreso *TechLabs* este fin de semana.

Alli apartó la manta y se sentó abruptamente.

—¿Lo dices en serio?

—Muy en serio. Ha habido una cancelación de última hora en su panel de directores de redes sociales y quieren que yo ocupe su sitio.

—Deberíamos hacerlo, sin la menor duda. Esta podría ser una fantástica oportunidad de marketing.

Alli empezó a dar palmas, emocionada.

El viaje sería caro, ¿pero cómo iba a dejar pasar una oportunidad que podría depararnos tanta publicidad?

Qué demonios. Tenía que arriesgarme.

—Vamos a hacerlo —anuncié, decidida.

Sería genial hacer contactos, pero la idea de ir a Las Vegas también era muy emocionante. Si no entraba en los casinos, todo iría bien.

—Genial, tenemos que hacer la maleta ahora mismo —Alli se levantó de un salto.

—Lo dirás de broma, ¿no?

—Erica Hathaway, eres la directora de una red social de moda y vas a representar a tu empresa en Las Vegas, la capital del glamour. Tenemos mucho trabajo que hacer.

Solté una carcajada cuando enterró la cabeza en el armario y empezó a tirar sobre la cama todos los minivestidos que poseía.

—Quiero tener aspecto de empresaria, no de fulana, ¿de acuerdo, guapa?

—Tú nunca has estado en Las Vegas, cariño. Confía en mí.

Durante las siguientes dos horas, mientras reservaba los billetes y preparaba material para el congreso, decidimos la ropa que iba a llevar. En poco más de veinticuatro horas estaríamos en Las Vegas.

Al día siguiente, alrededor de las doce, atravesaba el campus para hablar con Sid. Era hora de despertarlo de una vez.

Como era de esperar, Sid y yo nos habíamos conocido por Internet. Yo tenía el concepto, el diseño y algo de dinero para los primeros gastos y, después de reflexionar sobre mi idea original durante un par de semanas, puse un anuncio en el boletín de la universidad buscando un programador que me ayudase a crear la página. Sid había sido el primero en responder y, después de un par de reuniones, decidimos asociarnos.

Tuve que llamar varias veces a la puerta antes de que abriese por fin. Era alto, más de metro ochenta, y el hombre más delgado que había conocido en mi vida. Con su piel oscura y sus grandes ojos castaños de cachorrito, era adorable a su manera, pero no le había conocido ninguna relación. Yo no era la única que necesitaba salir más.

Al ver que tenía los ojos enrojecidos y aspecto cansado me pregunté si habría salido al mercado un nuevo videojuego. Normalmente, eso afectaba a su errático horario.

—Toma, te he traído el desayuno.

Le tiré una bebida energética y él murmuró un «gracias» antes de adentrarse en su cueva, la habitación desordenada que compartía con otros ermitaños como él. Lo seguí y me dejé caer sobre el sofá.

—¿Qué pasa?

Sid tomó un trago de refresco mientras se sentaba frente a su escritorio, cubierto de latas vacías y envoltorios de galletas. Tuve que hacer un esfuerzo para contener el deseo de ponerme a limpiar.

—Voy a participar en el congreso *TechLabs* en Las Vegas y quería hablar contigo antes de irme. Puede que tengamos un aumento de tráfico por la exposición pública y quería saber si estamos preparados.

—¿Sería un pico muy grande?

—No tengo ni idea, pero habrá cuarenta y cinco mil personas en el congreso. Alli irá conmigo como Relaciones Públicas.

—Muy bien, controlaré las estadísticas y tendré preparados algunos servidores de alta capacidad para que no haya riesgo de desbordamiento —Sid escribió algo en un cuaderno y encendió su ordenador.

—¿Tenemos o hay que comprarlos? —le pregunté, esperando poder evitar el tiempo de inactividad con fondos mínimos.

—Siempre nos vendría bien tener más. ¿Hay dinero?

—No, la verdad es que no. Este viaje ya se sale del presupuesto.

—¿Cuánto tiempo tardaremos en recibir los fondos de Angelcom?

—*Si* conseguimos los fondos de Angelcom —le recordé—. Y no tengo ni idea. Espero tenerlo más claro cuando vea a Max en un par de semanas. Creo que normalmente se tarda un par de meses, pero tengo la impresión de que podría adelantar la reunión si está realmente interesado.

—Bueno, ya veremos. Tengo un par de viejos ordenadores por aquí que puedo montar en un momento. Esperemos que no se caiga el servidor de la universidad.

—Haz tu magia, Sid.

Solía entender alrededor de un veinte por ciento de las cosas que decía, pero sabía que era un genio en lo suyo y confiaba en que podría resolverlo. Sid jamás se levantaba de la cama antes de las doce, pero podía montar un ordenador con chips de memoria RAM y placas base en unas cuantas horas. Además, Clozpin también se había convertido en su niño mimado y, como yo, apenas trabajaba en otra cosa últimamente, de modo que agradecía su dedicación, aunque a cambio tuviera que soportar sus manías.

—¿Qué tal la búsqueda de trabajo? —pregunté, esperando que tuviese tan pocas ganas como yo de adentrarse en el mundo real.

—Nada interesante. No le he dedicado mucho tiempo, la verdad.

Aliviada, dejé el tema y me levanté para ordenar un poco aquella leonera.

—Erica, no tienes que hacer eso. Me pondré a limpiar hoy mismo, lo prometo.

—No te preocupes. Tú encárgate de que no se caiga el servidor en las próximas cuarenta y ocho horas y estaremos en paz.

—Trato hecho.

En cuanto entramos en el hotel Wynn, supe que Alli tenía razón. Apenas eran las diez de la noche de un viernes y el casino estaba lleno de mujeres guapas, ataviadas con los vestidos más diminutos que había visto en mi vida. En comparación, yo parecía una monja.

Alli me había acicalado un poco en la habitación, antes de salir a explorar el hotel. Nos habíamos decidido por un vestido ajustado negro y zapatos de tacón y llevaba el pelo suelto, ondulado y un poco salvaje.

—Las chicas de aquí seguramente irán a la iglesia con este vestido, Alli.

—Ya te digo. Súbetelo un poquito.

Tiró hacia abajo de su diminuto vestido fluorescente para lucir algo de escote. El mío prácticamente se salía del vestido. Al parecer, el estrés no había conseguido disminuir el tamaño de mis tetas.

—No, gracias. Prefiero dejar algunas cosas a la imaginación y tú deberías hacer lo mismo.

—Da igual. De todas formas, aquí no conocemos a nadie —Alli se encogió de hombros.

No podía estar en desacuerdo. Aquella era una oportunidad para soltarse el pelo, pero eso podía suponer un peligro. Gracias a Blake Landon, sentía un constante hormigueo en la piel, un deseo casi doloroso de ser tocada por todas partes. Mi vibrador no lograba saciar la lujuria que inspiraba y corría peligro de enganchar al primer hombre que se pareciese a él para llevármelo a la habitación.

Cada vez que recordaba la reunión se me ocurrían situaciones bien diferentes a la realidad y todas terminaban conmigo tumbada sobre la mesa de la sala de juntas, gritando su nombre…

«Por el amor de Dios».

Tuve que hacer un esfuerzo supremo para apartarlo de mis pensamientos. Blake Landon estaba en mi lista de los más odiados, no en la de los más deseados. O no debería estarlo.

Alli me distrajo, acicalándome y ajustando una y otra vez mis accesorios. A nadie le gustaba la moda más que a mi amiga y socia. Al principio, no entendía cómo podía malgastar tanta energía en su aspecto físico, pero al final entendí que la moda tenía mucho más que ver con sentirse bien por dentro que con impresionar a los demás con tu aspecto exterior, aunque también ayudaba mucho con eso, claro.

Era más de medianoche cuando entramos en el casino como zona de paso a nuestro destino, el bar que había al otro lado. La sala estaba abarrotada y Alli tomó mi mano mientras intentábamos abrirnos paso entre el bullicio de gente.

—¡Erica!

Me detuve, convencida de haber escuchado mi nombre entre la

algarabía de voces. No podía ser la única Erica en la sala, pero cuando volví a oírlo di media vuelta y, de inmediato, reconocí un rostro familiar.

Blake Landon estaba frente a una mesa de ruleta, mirándome directamente.

—Mierda, vámonos de aquí —aparté la mirada y me lancé hacia delante, intentando escapar.

—¿Quién es ese hombre? —Alli me detuvo bruscamente, provocando un pequeño atasco.

—*Ese hombre* es Blake Landon.

—¡Vaya! ¿Y qué hace aquí?

—Da igual. Solo quiero perderlo de vista.

—Está mirándote, Erica. Vamos a saludarlo.

Alli tiró de mí hacia la mesa de ruleta en la que estaba jugando. Por algún milagro, se había vuelto aún más atractivo de lo que recordaba. Con un traje gris y una camisa de cuello negro estaba sencillamente perfecto. Avasallador, sexy como el demonio. Tomé aire mientras me colocaba un mechón rebelde por detrás de la oreja en un gesto nervioso, rezando para que no notase la tensión sexual que provocaba y que en aquel momento debía ser palpable.

Muy bien, lo saludaríamos a toda prisa y luego daríamos media vuelta.

Él me miraba con esos penetrantes ojos oscuros.

—Qué sorpresa.

Hice lo posible por disimular mi agitación, pero tuve que contener el aliento mientras me hacía una revisión de arriba abajo. Nerviosa, crucé los brazos sobre el pecho, lamentando de inmediato haberme puesto ese vestido. Pero al intentar esconder mi escote solo conseguí destacarlo.

Él entreabrió los labios ligeramente, su mirada clavada en ese escote durante unos segundos más de los necesarios. Me erguí, fijándome entonces en el hombre, igualmente atractivo, que estaba a su lado. Parecía el hermano mellizo de Blake. Más bajito, su pelo un par de tonos más claro y sus ojos de un pardo más oscuro, casi marrones. El joven nos saludó con un gesto.

—Hola, Erica. Soy Heath, el hermano de Blake.

Miró a Alli con una sonrisa de las que te paraban el corazón y ella apretó mi mano.

—Encantada de conocerte. Alli Malloy, una de mis socias —la presenté, esperando que aquello no fuese a ningún sitio.

Ella apartó la mirada de Heath para saludar a Blake.

—He oído hablar mucho de usted, señor Landon —Alli sonrió antes de volverse hacia mí enarcando una ceja.

Ahora que lo había visto en carne y hueso sabía contra lo que tenía que luchar, pero en su expresión no había compasión alguna. De hecho, cuando se volvió hacia Heath supe que cualquier posibilidad de que me echase una mano acababa de irse por la ventana.

—¡Hagan sus apuestas! —gritó el crupier, tirando la bolita sobre la rueda.

—¿Juegas a la ruleta? —me preguntó Blake.

—Alguna vez, pero esta noche no voy a hacerlo —respondí.

Los juegos de azar no estaban a mi alcance en este momento. Por no decir que la apuesta mínima en la mesa era de mil dólares.

—Pues yo sí. ¿A qué números te gusta apostar?

La bolita empezaba a perder velocidad y sentí un irracional deseo de que apostase mientras aún podía hacerlo.

—Pues… el nueve y el uno —solté impulsivamente mi cumpleaños, dos números que tan bien me habían servido en el pasado.

Blake puso fichas por valor de diez mil dólares en ambos números, y algunos más, unos segundos antes de que la bolita cayese en el casillero del número nueve. Alli y yo gritamos al unísono. Mi corazón latía alocado mientras intentaba hacer cálculos.

—¡Número nueve! —el crupier le dio a Blake cinco fichas de colores.

Él le devolvió una como propina y guardó el resto en el bolsillo de su chaqueta. Cuando tomó mi mano, el contacto me hizo vibrar.

Entre el roce y la emoción de que hubiese ganado, todo mi cuerpo temblaba de contenida energía. Intenté apartarme, a la defensiva, sorprendida por el placer que provocaba ese roce y por el deseo de que me tocase.

Miré entonces la ficha de diez mil dólares que había puesto en mi mano; era más que la suma de todas mis ganancias en la ruleta en toda mi vida.

—¿Y esto por qué?

—Por ser mi amuleto de la suerte. No habría ganado sin ti.

Esbozó una sonrisa juguetona que, combinada con la emoción de haberlo visto ganar, casi me hizo olvidar lo enfadada que estaba con él. Aquello podría funcionar con otras chicas, pero yo no tenía intención de dejarme comprar.

—No puedo aceptarla —afirmé, devolviéndole la ficha.

—Insisto —dijo Blake—. Venga, vámonos de aquí antes de que la ruleta vuelva a girar.

A regañadientes, guardé la ficha en el bolso y nos alejamos sin mirar atrás.

—*T*ienes un aspecto diferente. Me ha costado reconocerte —Blake se inclinó para hablarme al oído.

Alli y Heath estudiaban el menú de tapas mientras esperábamos que nos sirvieran los chupitos de tequila que habíamos pedido.

Habíamos entrado en un bar del casino muy estilo Las Vegas para celebrarlo y Alli estaba ligando con Heath, dejándome sola para lidiar con Blake. Su cálido aliento en mi cuello hacía que sintiera escalofríos e intenté no imaginar cómo sería tener sus labios allí. Su proximidad empezaba a ser escandalosa y olía de maravilla, a hombre limpio, atrevido, sexy. Alguien podría embotellar ese aroma y ganar millones.

—No es el atuendo adecuado para ir a una reunión… —tiré del bajo del vestido, que apenas cubría lo esencial estando sentada. Si volvía a mirarme de arriba abajo podría arder de forma espontánea allí mismo.

—Yo lo prefiero.

Había cientos de mujeres guapas en el bar y muchas de ellas estaban mirando a Blake. Qué suerte la mía, no solo haberme encontrado con él sino estar atrapada en su punto de mira mientras Alli flirteaba descaradamente con su hermano.

—¿Has venido al congreso? —pregunté para cambiar de tema.

—Entre otras cosas —respondió él.

—Blake está aquí por un tema de negocios. Yo, sin embargo, estoy aquí para pasarlo bien —Heath le hizo un guiño a Alli.

Y ella encantada, claro. En realidad, no sabía si estaba interesada de verdad o haciendo un fantástico trabajo de Relaciones Públicas. Esperaba que fuese esto último.

—Heath es mi gerente de desarrollo comercial —explicó Blake—. Supuestamente, también ha venido al congreso.

Heath soltó una carcajada.

—Cada vez que el trabajo lleva a Blake a Las Vegas, mi compromiso con la empresa de repente se vuelve importantísimo. Tenemos unos títulos muy pomposos, pero la mayoría nos limitamos a orbitar a su alrededor. Él es quien hace el trabajo duro.

Esperaba que Blake comentase algo, pero se limitó a esbozar una sonrisa. Parecía diferente aquella noche, más serio. Tenía un aspecto relajado, sereno, pero intuía cierta tensión baja esa aparente calma.

Alli rompió el silencio:

—Como Erica. Ella es nuestra infatigable líder.

Blake parecía a punto de decir algo cuando el camarero apareció con suficientes chupitos de tequila como para garantizar que, tarde o temprano, alguien haría algo de lo que se arrepentiría por la mañana.

Tomé el mío indecisa, jurando para mis adentros que sería el primero y el último. No podía confiar en mí misma estando con Blake y el tequila solía hacer que perdiese la cabeza.

Heath levantó su vaso para brindar.

—¿Por qué brindamos? —pregunté.

—Por el éxito —respondió mientras hacíamos chocar nuestros vasos.

Estaba más que dispuesta a brindar por eso, de modo que me tomé el chupito de un trago y después chupé media lima para contrarrestar el ardor del licor.

Durante una hora más o menos, Heath nos contó historias sobre su vida: sus aventuras en la ciudad del pecado, sus viajes por Europa con una mochila al hombro o la opulencia de vivir en Dubai. Carismático y divertido, Heath Landon era un personaje interesante.

Alli no paraba de hacerle preguntas a las que él respondía encantado y casi era un alivio dejar que la conversación se centrase en él. Seguía cabreada con Blake y no me apetecía contarle nada sobre mi vida personal.

—¿Te apetece tomar otra cosa? ¿Algo diferente?

La profunda voz de Blake me distrajo del tonteo entre Alli y Heath.

—Mañana a primera hora participo en un grupo de debate —respondí—. En realidad, debería irme a dormir —eran casi las dos de la mañana y el largo día empezaba a hacer efecto, pero no tenía tan claro lo que Alli quería hacer—. ¿Quieres que nos vayamos?

—Pues… —mi amiga miró a Heath.

—Quédate con nosotros un rato —la animó él en voz baja.

Alli se volvió hacia mí indicándome con la mirada que quería quedarse.

—¿Estás segura?

—Sí, subiré dentro de un rato. No te preocupes por mí —su sonrisa era tan alegre; estaba claro que el tequila había ganado la batalla.

—Tranquila, te la devolveremos de una pieza —prometió Heath.

Casi lo creí, casi. En otras circunstancias le habría recordado que estábamos allí para trabajar, pero no quería estropearle la noche.

Cuando me levanté de la silla, Blake se levantó también.

—Te acompaño.

—No, gracias, no es necesario.

—Yo también me retiro. Podemos subir juntos.

Tuve que rendirme, casi convencida de que podría sobrevivir diez minutos a solas con él.

Blake me acompañó hasta el vestíbulo, con una mano descansando en la parte baja de mi espalda. El inesperado contacto me calentó hasta lo más hondo, pero disimulé mientras entrábamos en uno de los ascensores. Estábamos muy cerca el uno del otro mientras las puertas se cerraban y yo tamborileaba ansiosamente con los dedos sobre la barandilla de metal.

—Parece que se llevan muy bien —comentó él, rompiendo el silencio.

—Ya me he dado cuenta. Tu hermano es encantador.

—Y problemático.

Blake sacudió la cabeza, pasando los dedos por su pelo.

—Alli también puede serlo en ocasiones, pero tal vez se controlen el uno al otro.

Él mostró su escepticismo enarcando una ceja.

Nos quedamos callados de nuevo. El ruido del ascensor parecía amplificar la tensión entre los dos, como si la atracción que sentía por Blake se hiciese audible en el silencio. Evidentemente, había subestimado lo largos que podían ser diez minutos a solas con él.

El ascensor se detuvo en mi planta y Blake me acompañó hasta la puerta de la habitación.

—Ya hemos llegado —murmuré, esperando que la despedida fuese breve.

Pero en lugar de irse deslizó una mano por mi brazo, desde el codo a la mano, y empezó a hacer suaves círculos en la palma con la yema del pulgar. Yo no sabía si la sensación que provocaba era dolor o qué, pero era una sacudida innegable, casi una descarga eléctrica que me recorría desde la punta de los dedos hasta otras zonas.

—Blake, yo…

Mi cuerpo se revelaba contra el tiránico recelo de mi cerebro. Su rostro estaba a unos centímetros del mío, embriagándome con su aroma una vez más, recordándome lo que había sentido la noche que nos conocimos.

—¿No vas a invitarme a una copa?

Se mordió el labio inferior en un gesto encantadoramente juvenil, aunque su mirada era de todo menos inocente. ¿Y cómo iba a decir que no?

Tragué saliva mientras daba un paso atrás, desconectándome de la electricidad que provocaba el roce de su cuerpo. Sacudí la cabeza y toqué mi pelo, nerviosa, intentando concentrarme en algo que no fueran sus labios.

—Tengo que levantarme dentro de unas horas.

—Yo también.

Aquel era el mismo Blake Landon que casi había destruido las posibilidades de conseguir fondos para mi empresa unos días antes. No iba a acostarme con él, ¿no?

Tomé aire, mirándolo directamente a los ojos.

—Seguro que no estás acostumbrado a que te digan esto, pero no estoy interesada. Lo hemos pasado bien esta noche, pero he venido a trabajar.

—No parece que hayas venido solo para trabajar.

Lo fulminé con la mirada, pero él se limitó a sonreír.

—En serio, Erica, ¿estás diciendo que no te sientes atraída por mí? ¿En absoluto? —murmuró, apoyando un brazo en la pared, acercándose un poco más.

Me pegué a la puerta, decidida a mantener las distancias, aunque el corazón parecía a punto de salirse de mi pecho. ¿Los centímetros que nos separaban serían lo único que me apartaba de... *la noche de mi vida*?

No, eran lo que me apartaba de un grave error.

—Si estás buscando un cumplido, no vas a conseguirlo —le advertí—. Aunque me sintiera atraída por ti, no haría nada por muchas razones. La primera de las cuales es que mi relación con Angelcom debe ser lo menos complicada posible.

—Yo no voy a invertir en tu proyecto, así que no habría ninguna complicación.

—No estoy de acuerdo.

—¿Cómo podría convencerte? —Blake sonrió, como retándome.

La tela del traje se distendía un poco sobre sus brazos y muslos. Caray, los inversores millonarios no deberían ser tan sexys. Lo único que deseaba en ese momento era desenvolverlo como si fuera un regalo. ¿Cómo iba a resistirme si volvía a tocarme o, Dios no lo quisiera, me besase?

Lo único que quería era meter a Blake en la habitación y follármelo hasta dejarlo sin aliento, pero sabía que no podía ser.

—Es muy sencillo, no puedes.

Di media vuelta para buscar la tarjeta magnética en el bolso, pero un segundo después él estaba detrás de mí, su brazo cálido y posesivo atrapando mi cintura. Cerré los ojos y contuve el aliento, tambaleándome ante el repentino apretón.

—¿Estás segura?

Perseveré para encontrar oxígeno, intentando desesperadamente contener los escalofríos que provocaba el roce de su cuerpo. Como no era capaz de articular palabra me limité a asentir con la cabeza, rezando para que se fuera.

En lugar de irse me agarró por las caderas. Allí estaba, tocándome otra vez como si tuviese derecho a hacerlo y maldita fuera si no me excitaba cuando debería ofenderme. Pero aquello tenía que terminar.

—Estoy segura —mi voz temblaba, delatando mis dudas.

Sonriendo, deslizó la mano hasta mi hombro y apartó el pelo de mi cuello para depositar allí un beso largo, interminable, hasta que empecé a temblar de nuevo. Lo veía todo borroso y tuve que apoyar una mano en la puerta para no perder el equilibrio.

—Nos vemos mañana —susurró.

Cuando giré la cabeza había desaparecido al final del pasillo, en el ascensor. Me apoyé en la puerta, enfadada conmigo misma y deseando que se hubiera quedado, aunque necesitaba que se fuera.

Me temblaban los dedos cuando por fin encontré la tarjeta magnética en el bolso… y la ficha a su lado.

4

Abrí los ojos al escuchar el ruido de la puerta. La habitación estaba a oscuras, pero según el reloj digital de la mesilla eran las ocho en punto. La vaga silueta de una mujer se acercaba a la cama contigua, el vestido fluorescente casi brillando en la oscuridad.

—¿Alli?

—Sí, soy yo.

—¿Acabas de llegar? —me froté los ojos mientras intentaba despertar del todo.

—Sí, *madre* —susurró ella, irónica.

Encendí la lámpara de la mesilla para verla mejor.

—Vaya, mira lo que ha traído el gato —sonriendo, me apoyé en los codos.

Parecía como si llevase días sin dormir… bueno, casi. Se le había corrido el rímel y el aspecto de su pelo era algo que jamás había visto en público, solo unos grados menos que perfecto.

—Sé que me estás censurando.

Después de quitarse los zapatos se dejó caer sobre la cama con el vestido puesto.

—¿Vas a contarme qué ha pasado?

Estaba despierta del todo, algo sorprendente considerando la hora que era y el poco tiempo de descanso profundo del que disfrutaba cada noche.

—¿Qué quieres saber? —murmuró ella, su voz ahogada por el edredón.

—Los detalles sórdidos, por supuesto.

Alli se dio la vuelta para mirar lánguidamente el techo.

—Me gusta de verdad.

Me pareció escuchar un suspiro. «Oh, no».

—Alli, por favor, dime que no te has acostado con él.

—¿Y a ti qué te importa?

—¿Cómo? —salté de la cama para mirarla a los ojos—. Me importa porque estoy intentando proyectar una imagen profesional de nuestra empresa y no esperaba que te acostases con el hermano de Blake Landon. Ahora se lo contará a Blake y… ah, mierda.

Empecé a calcular todas las posibles complicaciones de esa indiscreción mientras Alli se sentaba en la cama.

—Para un momento. Le dije que te daría un ataque si su hermano se enteraba y no va a decir nada. Me ha dado su palabra.

—Increíble —murmuré mientras me acercaba a la ventana para subir la persiana.

Alli cerró los ojos, haciendo un mohín cuando la luz del día llenó la habitación.

—Bueno, ¿y tú qué? A juzgar por cómo te follaba con los ojos anoche, casi esperaba encontrarte aquí con Blake.

—Por favor. No hay absolutamente nada entre Blake y yo.

—Y una mierda.

—Lo digo en serio. No puedo arriesgar mi trato con Angelcom. Anoche le dije que no estaba interesaba y punto.

—Blake no parece un hombre acostumbrado a recibir negativas. Además, no me habías contado que era guapísimo.

—Guapísimo o no, he venido a trabajar.

—Erica, ¿de verdad estás enfadada conmigo? —Alli hizo un puchero.

Ah, allí estaba el sentimiento de culpa, pero no iba a dejar que se saliera con la suya.

—En fin, ya se arreglará. Duerme un rato. Nos vamos mañana y sería estupendo que pudieras hacer contactos antes de irnos.

Escapé al cuarto de baño, donde seguí echando humo bajo la suave presión del agua de la ducha. Quería estar enfadada con Alli, pero en realidad estaba más bien preocupada por ella. Le había permitido bajar la guardia con Heath, que seguramente era un donjuán empedernido como su hermano, de modo que aquello era tanto culpa mía como suya.

Cuando volví a la habitación, Alli estaba profundamente dormida. Saqué del armario el conjunto que ella había aprobado: una estilosa blusa estampada y una chaqueta blanca con unos vaqueros rectos de color negro. Me puse los zapatos de tacón que ella había dejado a los pies de la cama y tomé el bolso.

Hora de ponerse a trabajar. Sin apoyo otra vez, pensé. Debería empezar a acostumbrarme.

Quince minutos después llegué a la sala de conferencias donde tendría lugar el debate. Subí a la tarima, desierta en ese momento, y leí las tarjetas con los nombres de los ponentes.

«No deberías estar aquí, Erica».

A veces odiaba de verdad esa vocecita, pero mi ansiedad estaba disparada. Iba a codearme con un lujoso elenco de ejecutivos y directores generales, auténticas celebridades en el mundo de la tecnología.

Nerviosa, me senté en la silla que me habían asignado y miré alrededor mientras la sala iba llenándose con cientos de asistentes.

Mi cabeza daba vueltas mientras estudiaba mis notas, deseando estar en cualquier otro sitio. Y cuando estaba al borde de un ataque de pánico, Blake se sentó a mi lado, guapísimo con una camisa gris y un pantalón vaquero.

—¿Qué haces aquí? —le espeté, con un tono más airado del que pretendía.

—Buenos días para ti también.

Me relajé un poco al ver que sonreía, tal vez de alivio al ver un rostro familiar entre tanta gente. Además, el recuerdo de su boca sobre mí la noche anterior aún estaba fresco.

Por el momento, todo en aquel viaje estaba siendo inesperado... desde encontrarme con Blake por la noche a la comprensible, pero problemática, fascinación de Alli con su hermano. Y allí estaba otra vez, en presencia del rey de los frikis.

Después de dejar que me cociese en mi propia salsa durante un rato, por fin respondió:

—Soy el moderador de este panel de ponentes.

Me quedé boquiabierta, pero las preguntas de «cómo» y «por qué» se me atragantaron. Solo había una respuesta lógica.

—Entonces fuiste tú.

—¿Yo qué?

Resoplé, deseando poder fulminarlo allí mismo.

—Tú me enviaste la invitación para participar en el congreso.

Blake sonrió.

—El mérito no es solo mío. Eres una competidora importante en las redes sociales. Eso es lo que tú misma dijiste en la reunión, ¿no? —se echó hacia atrás en la silla como había hecho durante mi presentación, mirándome con cierta reserva.

—Sí, eso es lo que dije —tragué saliva, enfadada.

—Bueno, entonces no debería preocuparte estar aquí con algunos de los grandes. Lo harás bien —pronosticó, antes de volverse para mirar su *smartphone*.

Mierda. Había llamado la atención de Blake Landon y ahora me tenía atrapada en un juego del gato y el ratón. ¿Cuánto duraría aquello? ¿Hasta que me acostase con él? Mientras tanto, ¿cómo demonios iba a tomar parte en un debate para el que no estaba capacitada?

La sala se había llenado y los demás ponentes ocuparon sus asientos. Cerré los ojos un momento, frotándome las sienes para intentar controlar la jaqueca que estaba a punto de hacer su aparición.

—¿No te gustan los retos?

Abrí los ojos y encontré a Blake estudiándome con sus preciosos y astutos ojos verdes. Estaba desafiándome y, de repente, perdí la paciencia.

—Me gustan los retos, pero no me gustan los sabotajes —intentaba no levantar la voz para que nadie más pudiese escuchar la conversación.

Quizá Blake creía estar retándome, pero yo estaba harta. Tenía muchas dudas, pero cuando alguien me subestimaba tan descaradamente se acababan los miramientos. Había trabajado sin descanso y no le había dado razón alguna para dudar de mi capacidad.

—Te aseguro que si hubiera querido humillarte no estarías aquí.

—¡Joder, qué cara tienes!

Mi voz se escuchó por toda la sala. El presentador había activado los micrófonos y todos los ojos estaban clavados en mí.

«Mierda». Me escurrí en el asiento, deseando que me tragase la tierra. Al parecer, no necesitaba que Blake me humillase porque podía hacerlo yo solita.

El presentador procedió a anunciar los nombres de los ponentes y del moderador, el «estimado» Blake Landon. Hice una mueca al escuchar su nombre y el aplauso que siguió, pero tenía que calmarme. Fulminar a Blake con la mirada no serviría de nada. Él iba a dirigir el debate y yo acababa de soltarle un exabrupto…

Me enderecé en la silla, tomando aire e intentando concentrarme. El debate empezó con las introducciones; sin problema ya que había tenido tiempo para practicar la mía no menos de cincuenta veces durante el vuelo de Boston a Las Vegas.

Después, Blake hizo un puñado de preguntas a cada ponente. Por el momento, nada que estuviese fuera de mi área de experiencia y mi ansiedad desapareció. Incluso encontré valor para apuntar cosas cuando otros ponentes hacían preguntas, aunque evitando el contacto visual con Blake porque sabía que podía hacerme perder el rumbo con una sonrisa. Su rostro ya había demostrado ser una distracción en el entorno profesional.

Después de una corta ronda de preguntas del público, el debate terminó y dejé escapar un suspiro de alivio. Agradecía haber sobrevivido, pero estaba un poco enojada conmigo misma por asustarme como una tonta por lo que había resultado ser una aparición pública más que manejable. En fin, había evitado la catástrofe.

—No ha estado nada mal —comentó Blake.

Paranoica tras el incidente con los micrófonos, lo fulminé con la mirada mientras reunía mis notas y me levantaba, deseando perderlo de vista, pero él se levantó también.

—Espera, no te vayas todavía... ¡Alex! —Blake llamó a otro de los ponentes mientras me tomaba del brazo.

Quería soltarme, pero me di cuenta de que intentaba presentarme a Alex Hutchinson, director general de uno de los portales de comercio electrónico más importante del país.

—Erica, Alex —nos presentó—. Estamos trabajando con Erica en Angelcom y he pensado que sería bueno que os conocierais. Podría interesarte su página de moda femenina.

—Encantado de conocerte, Erica. Estoy deseando echarle un vistazo a tu página.

Alex me llevaba al menos quince años y se parecía más a los ejecutivos trajeados a los que había intentado vender mi empresa en Boston, pero él sí parecía interesado.

—Gracias, me encantaría conocer tu opinión.

—Sí, claro. ¿Cuándo la lanzaste?

—Hace alrededor de un año.

—Estupendo, le echaré un vistazo. Toma mi tarjeta... el número del móvil está en el dorso. Seguiremos en contacto y si puedo ayudarte en algo, dímelo, ¿de acuerdo?

—Desde luego que sí. Muchísimas gracias.

Cuando Alex se alejó, dos hombres se acercaron, ambos de nuestra edad. Uno era director de una conocida empresa dedicada a la creación de juegos virtuales y el otro había fundado una floreciente red social de producción musical para descubrir nuevos talentos poco antes de la creación de Clozpin, lo cual me hacía sentir un poquito más tranquila.

Mientras charlábamos, Blake guiaba elegantemente la conversación hacia mí en los momentos adecuados. En realidad, estaba emocionada. Me habría dado pánico hablar con estas personas estando sola. En general, la recepción había sido positiva y sentía que estaba a la altura, que habíamos creado algo que merecía la pena.

Por fin, los asistentes y el resto de los ponentes se dispersaron, dejándome a solas con Blake.

—Vaya —musité, un poco incrédula.

—¿Ha sido tan horrible?

—No, al contrario, ha sido estupendo. No lo esperaba.

—Tal vez eso sea bueno.

Tenía razón. Sin su apoyo, la angustia por el calibre de las personas a las que iba a conocer y con las que iba a debatir habría sido insoportable. El pánico había durado poco, afortunadamente, y aparte del incidente del micrófono todo había ido de maravilla. Aun así, no iba a darle la satisfacción de admitirlo en voz alta.

—Ha sido estupendo, pero no necesito caridad, Blake.

Tenía que dejar de entrometerse.

Él frunció el ceño ligeramente.

—¿Crees que lo he hecho por caridad?

—O eso o es una elaborada maquinación para llevarme a la cama.

Blake esbozó una sonrisa mientras entrelazaba sus dedos con los míos.

—Mentiría si dijera que no es eso.

Deslizó el otro brazo bajo mi chaqueta, atrayéndome hacia él. El abrazo era suave, pero firme, haciéndome ver lo fuerte que era. Suspiré, disfrutando del calor de su cuerpo apretado contra el mío y del extraño alivio que sentía cada vez que me abrazaba.

—No va a pasar —la protesta era tan débil como mi resolución.

Puse la mano libre en su torso, sobre sus pectorales. Mientras me derretía sin poder evitarlo, noté que su corazón latía tan fuerte como el mío.

Ah, las cosas que podríamos hacer…

Blake me apretó la cintura, el aparente control en su expresión traicionado por el brillo de sus ojos.

—No estoy de acuerdo.

Inclinó la cabeza, sus labios estaban a un centímetro de los míos. Sin pensar, puse los dedos en su nuca, y le acaricié los sedosos mechones de pelo. Mi corazón latía como loco, silenciando cualquier inclinación de protestar. No podía escapar del deseo.

«Sí».

Me puse de puntillas y nuestros labios se encontraron, cálidos, suaves. Perfectos. Me bebí su aroma. Blake enredó las manos en mi pelo, reteniéndome en un abrazo del que no tenía el menor deseo de escapar.

Me incliné hacia él, gimiendo suavemente, rindiéndome al asalto de sensaciones que conjuraba el roce de sus labios.

Abrió los míos con la punta de la lengua, empujándolos, persuadiéndolos para que se abrieran sin que yo pudiese hacer nada. Los abrí como quería, deseando comprobar si sabía tan bien como imaginaba. Su lengua se deslizó sinuosamente entre mis labios para buscar la mía, provocándome, tentándome con roces suaves que se convirtieron en enardecidas caricias. Se tragaba mis gemidos besándome apasionadamente, apretándome contra su cuerpo.

La mano que no estaba guiando el beso acariciaba la piel desnuda entre la blusa y los vaqueros, deslizándose por mi cadera. Las mías estaban en su pelo. Estaba paralizada de miedo, temiendo que si me movía un centímetro perdería el control por completo y me tiraría encima de él allí mismo, sobre la tarima.

La realidad empezó a abrirse paso por los susurros y los clics de unas cámaras detrás mío. Había un pequeño grupo de asistentes en la puerta de la sala, sus rostros escondidos tras los móviles que nos apuntaban directamente. ¡Maldición!

Me aparté de Blake, que no parecía nada alterado por los *paparazzi* aficionados. Ruborizada y asustada, tomé mis cosas y bajé de la tarima, abriéndome paso hasta el ascensor más próximo. Muy a mi pesar, había perdido el control y el resultado era bochornoso.

—¡Erica! —Blake corrió tras de mí—. Espera. ¿Estás bien?

Tenía el pelo un poco más alborotado, pero contuve el deseo de peinárselo. Estaba demasiado excitada y un roce, por inocente que fuese, podría desbaratar la cada vez más debilitada promesa de no acostarme con él.

—Sí, claro, estoy deseando convertirme en el hazmerreír del congreso.

Sacudí la cabeza, incrédula y enfadada conmigo misma por haber sido tan imprudente.

—Oye, cualquier publicidad es buena publicidad, ¿no? —Blake intentó tocarme, pero di un paso atrás.

—¡No lo entiendes! Para mí todo está en juego ahora mismo —le espeté, temblando.

Experimentaba demasiadas emociones al mismo tiempo: euforia, un deseo cegador y, sobre todo, vergüenza.

—Relájate —Blake puso una mano en mi hombro—. Estoy seguro de que esos chicos ni siquiera saben quiénes somos. Y si lo supieran no tendría ninguna importancia.

Esos chicos seguramente no me conocían, pero no podía decir lo mismo de Blake.

Agotada de repente, me apoyé en la pared, sintiendo que el cansancio me superaba.

—Da igual… imagino que ya no puedo hacer nada.

Él apartó un mechón de pelo de mi frente.

—Tengo un par de reuniones por la tarde, pero me gustaría que cenásemos juntos.

Suspiré. Aquel hombre era muy obstinado.

—Me portaré como un caballero —prometió.

Pero no lo creí porque un peligroso brillo de deseo nublaba sus ojos.

—Tienes la costumbre de agraviarme a la menor oportunidad… —suspiré—. Mira, no hagas promesas que no puedes cumplir.

En ese momento sonó la campanita del ascensor y, un segundo después, se abrieron las puertas. Entré sin decir nada y, milagrosamente, Blake no me siguió.

Pero antes de que las puertas se cerrasen, anunció:

—Iré a buscarte a las ocho.

Llevaba un rato acariciando mi copa de vino, mientras Alli iba por su segundo *Martini espresso*, en uno de los galardonados restaurantes italianos del casino. Le había contado los detalles del debate, incluyendo la parte buena: el contacto con un puñado de poderosos ejecutivos de la industria, y la mala: la posibilidad de haber quedado desacreditada unos minutos después, cuando me hicieron fotos en los brazos de Blake.

—Es muy cabezota, pero la verdad es que no me sorprende —comentó mi amiga.

—Siento que estoy perdiendo la guerra con él.

Intentaba disfrutar de mi plato de pasta *Fra Diavolo*, desconcertada por lo que sentía cuando estaba con Blake. Pasaba de insultarlo a tener que reunir toda mi fuerza de voluntad para no dejarme llevar...

—Erica, sé que estás supercentrada en el negocio ahora mismo, pero si te sientes atraída por Blake y está claro que él se siente atraído por ti, ¿por qué no pasarlo bien?

—He vivido un infierno, Alli, tú lo sabes. Clozpin es lo único que me ha importado en mucho tiempo. Me mantiene con los pies en la tierra y si meto la pata por no controlar mis hormonas no me lo perdonaré nunca.

Aunque buscar un trabajo más tradicional siempre era una opción, me negaba a aceptar la posibilidad del fracaso.

Sí, claro, periódicamente experimentaba momentos de pánico, pero siempre había logrado superarlos y salir fortalecida, dándolo todo de mí misma para llegar más arriba de lo que ninguno de nosotros había esperado.

En circunstancias normales podía manejar a la vez el sexo, el trabajo y los estudios, pero aquellas no eran circunstancias normales. Tenía que concentrarme o me arriesgaba a perderlo todo.

—Ya le has demostrado que eres una profesional. ¿De verdad crees que dejará de respetarte si te acuestas con él?

—No lo sé, tal vez. En cualquier caso, no estoy dispuesta a correr ese riesgo.

Blake era imprevisible. En la reunión de Boston me había puesto de los nervios mientras que en Las Vegas me fue de gran ayuda, de modo que no sabía qué esperar de él, especialmente si complicábamos la relación con el sexo.

—Si juegas con esas reglas les das credibilidad —replicó Alli—. Los tíos follan todo el tiempo y nadie le da ninguna importancia. Que seas una mujer no significa que no tengas derecho a una noche de sexo apasionado.

—Dice la chica que ha vuelto a la habitación a las ocho de la mañana —le recordé, señalándola con el tenedor—. No, en serio, ahora mismo el negocio es más importante para mí que cualquier aventura.

Alli se quedó pensativa un momento.

—Tal vez Blake no sea hombre para una simple aventura.

—Lo dudo mucho.

—No es un crío. Tal vez deberías darle una oportunidad.

Hice una mueca de incredulidad.

—Tienes razón, no es un crío sino un multimillonario gilipollas. No sé qué es peor.

Ella dejó caer los hombros, la tristeza reflejada en sus ojos. Las dos sabíamos qué era peor.

—¿Has sabido algo de Heath desde… ya sabes? —le pregunté, para no seguir hablando de Blake y de mi pasado.

—Sí, me ha enviado un mensaje de texto esta mañana. —Una sonrisa iluminó el rostro de mi socia.

Estaba colada por él, no había duda. Que Dios nos ayudase a todos.

—¿Gracias por una noche inolvidable? —bromeé, haciéndola reír—. ¿Crees que la cosa irá a algún sitio?

—No estoy segura. Vive en Nueva York, así que... ¿Quién sabe? Vamos a cenar juntos esta noche. —Alli levantó la mirada—. Si no te importa, claro. Podemos salir juntas si quieres darle esquinazo a Blake.

Por supuesto, sabía que estaba mintiendo, como haría cualquier amiga decente.

5

Como era de esperar, Alli y yo discutimos sobre la indumentaria adecuada para esa noche hasta que, por fin, nos pusimos de acuerdo en un vestido de color melocotón con escote palabra de honor y bajo asimétrico, más corto por delante que por detrás, que resultaba apropiado para una cita, pero nada escandaloso.

Después de ponerme los zapatos me cepillé el pelo nerviosamente frente al espejo.

Blake llamó a la puerta a las ocho en punto.

—Hola —lo saludé, agarrándome al bolso de mano como a un salvavidas.

—Hola, Erica —contestó con una leve sonrisa.

Llevaba una sencilla camisa blanca con las mangas hasta el codo y unos tejanos oscuros. Su pelo, normalmente alborotado, estaba peinado cuidadosamente con raya a un lado, aunque se rebelaba aquí y allá, con un toque sexy, actual y elegante. Había pasado las últimas horas intentando predecir qué me depararía esa noche y, de repente, no podía ordenar mis pensamientos.

Después de unos segundos comiéndomelo con los ojos descaradamente descubrí que él me miraba con la misma admiración descarnada.

Experimenté una oleada de emociones: un cosquilleo en el estómago, deseo carnal y la inquietante premonición de estar adentrándome en terreno desconocido y tal vez peligroso. Blake Landon era sexy, rico y seguro de sí mismo y, en su presencia, mis hormonas no tenían ninguna fuerza de voluntad.

—¡Hola, Blake! —Alli se reunió con nosotros en la puerta, dándole un buen repaso con la mirada.— Qué buena pareja hacéis.

—No vamos a la fiesta de graduación del instituto —murmuré, aunque en cierto modo me parecía como si así fuera.

Salvo que el chico más guapo del instituto había venido a buscarme y eso no me parecía del todo normal. Sí, arreglada estaba guapa y atraía a muchos hombres interesantes, pero había renunciado a mi vida social meses antes para concentrarme en el trabajo.

Había olvidado lo que era sentirse admirada físicamente. En realidad, no estaba segura de que alguien me hubiera hecho sentir tan deseada y eso que, hasta el momento, solo nos habíamos besado.

Blake me ofreció su brazo y lo acepté sin discutir.

—¡Que lo paséis bien! —dijo Alli.

—La traeré de vuelta a casa por la mañana —respondió él, haciéndole un guiño.

Puse los ojos en blanco, sintiendo que me ardía la cara ante la idea de estar con Blake toda la noche. ¿De verdad estaba haciendo esto?

Una vez en el ascensor, pulsó el botón de la planta cuarenta y cinco, la última del edificio, y empezamos a ascender.

—¿Dónde vamos? —pregunté, desconcertada.

—A la última planta.

—¿Y qué hay allí?

—Mi habitación.

Mi entusiasmo se marchitó.

—Muy sutil, Blake —me solté de un tirón y crucé los brazos sobre el pecho.

«De caballero perfecto, nada». «Dios, qué ingenua soy».

Blake rio.

—No es lo que tú crees, confía en mí.

—No me has dado razones para confiar en ti —repliqué enarcando una ceja.

—Creo que se necesita algún tiempo para eso, así que tal vez aún haya esperanza.

Las puertas del ascensor se abrieron y, después de recorrer un largo pasillo, usó una tarjeta para abrir la puerta de la habitación… en realidad una enorme suite que solo podía ser descrita como un modesto palacio.

Atravesamos el elegante recibidor y ante nosotros apareció una pared enteramente de cristal tras la que podía ver el horizonte de Las Vegas. El sol se había puesto unos minutos antes tras las cumbres de las yermas montañas, saturando el cielo con tonos oro y ámbar, mientras los famosos edificios de la milla de oro replicaban el esplendor de la naturaleza.

Un millón de luces iluminaban la noche en aquella ciudad salvaje y adictiva.

—He pensado que aquí tendríamos mejores vistas que en un restaurante —dijo en voz baja.

—Es fabuloso. —Miraba el horizonte, emocionada por el paisaje.

Por segunda vez aquel día, dentro de mí había una burbuja de loca emoción gracias a Blake. Aun así, intenté contener mi entusiasmo. Parecía pensar que iba a seducirme fácilmente, pero no iba a darle esa satisfacción.

—Me alegra que te lo parezca.

Me guio hacia una mesa dispuesta para dos frente a la pared de cristal. La suite de dos plantas, lujosa y elegante, estaba decorada en tonos cálidos y suaves, con una variedad de texturas, desde paredes forradas de seda a superficies de mármol claro que contrastaban con los modernos e integrados aparatos eléctricos.

Estaba catalogando todo lo que ofrecia la suite cuando un camarero apareció con una botella de champán en una cubitera.

—¿Madame? —me mostró una botella de *Cristal Rosé.*

—Sí, gracias.

El hombre llenó hábilmente las dos copas hasta el borde.

—Me he tomado la libertad de pedir por los dos —Blake alzó su copa para rozar la mía—. Espero que no te importe.

—Lo dejaré pasar —bromeé, aunque en realidad estaba aliviada.

No podía pensar con claridad estando con él y mucho menos decidir qué podría comer sin dejar de ser elegante y sofisticada.

—Bueno, cuéntame algo más sobre Erica Hathaway.

—¿Qué quieres saber?

—¿Qué haces para divertirte?

La pregunta era inocente, pero el brillo de sus ojos traicionaba algún oscuro significado.

Nerviosa, apreté el borde de la silla con los dedos. Mis defensas empezaban a debilitarse peligrosamente. ¿Por qué había aceptado cenar con él? Bueno, en realidad no había aceptado, pero tampoco le había dicho que no. Fuera como fuera, allí estábamos y, por el momento, nos estábamos comportando… o al menos Blake y yo nos estábamos comportando mientras mi libido parecía tener otras ideas.

—Si quieres que sea sincera, no mucho. Al menos últimamente.

—¿Así que eres adicta al trabajo?

—Podríamos decir que sí.

—Entonces ya tenemos algo en común —Blake se arrellanó en la silla para mirar el horizonte.

—Pareces más relajado últimamente. La vida te va bien, ¿no?

—Mi vida no son unas vacaciones, si eso es lo que quieres decir.

—No veo ninguna razón para que no pueda serlo.

—Porque no me conoces bien.

—No, claro que no. Cuéntame algo —lo animé—. Un pajarito me ha dicho que fuiste *hacker*.

Por encima de la copa casi vacía vi que torcía el gesto.

—No deberías creer todo lo que se publica en Internet.

—¿No?

El camarero llevó la cena, dos bistecs perfectamente cocinados sobre una cama de espárragos y champiñones salteados.

Encantada, le di las gracias al hombre, que desapareció tan rápidamente como había aparecido, dejándonos solos una vez más.

Hambrienta después de un día tan intenso, disfruté de cada bocado.

—Veo que no estás interesado en contarme la historia de tu vida.

Blake permaneció en silencio durante unos segundos antes de responder, concentrado en su plato para evitar mi mirada.

—Supongo que ya has leído lo que se ha publicado sobre mí. ¿Qué más quieres saber?

—¿Cómo voy a hacerme multimillonaria si no me cuentas tus secretos?

Busqué sus ojos, deseando que me contase algo más, algo que no pudiese encontrar en Internet.

Blake suspiró, pasando una mano por su pelo.

—Creé un software de banca, lo vendí y ahora invierto en otros proyectos, en general con éxito, para matar el tiempo. ¿Satisfecha?

—No, la verdad es que no —respondí sinceramente.

—¿Alli está muy involucrada en el negocio?

Quería saber más cosas sobre la notoria vida de Blake, pero decidí esperar, ya que parecía ser un tema delicado y él no había empezado a interrogarme.

—En realidad, ella fue la inspiración para la página. Después de tres años creía haber completado mi educación sobre el mundo de la moda, pero Alli insiste en vestirme la mitad de las veces. En fin, ahora se encarga del marketing de Clozpin. Es la responsable de los contactos que han dado como resultado la mayoría de las cuentas de pago.

—Pero dijiste que su compromiso dependía de la financiación.

—Los padres de Alli esperan que encuentre un trabajo en el que gane más dinero y hasta que consigamos financiación o crezcamos más deprisa no tiene más remedio que buscarlo. Ha estado haciendo entrevistas en Nueva York e imagino que terminará allí si las cosas no funcionan en Clozpin.

—¿Cómo financias la página por el momento?

—¿Sinceramente?

Él sacudió la cabeza, riendo.

—No me estás vendiendo nada, solo lo pregunto por curiosidad.

—Complementamos los ingresos con el dinero de mi herencia que, gracias a mi prestigiosa educación, está menguando a pasos agigantados.

—Seguro que no eres la primera que usa su propio dinero para hacer realidad un sueño.

El champán me había animado, una relajación bienvenida en presencia de alguien que tenía por costumbre ponerme de los nervios. Blake estaba siendo sorprendentemente agradable. Al menos, cuando no hablábamos de él.

Cuando terminamos de cenar, tiró su servilleta sobre la mesa y apuró el caro champán rosado llenando nuestras copas.

—Ven conmigo —dijo después, tomando mi mano.

Aunque con cierta reticencia, dejé que me llevase a un sofá de piel blanca al otro extremo del enorme salón. Me senté y él se sentó a mi lado, rozándome con la rodilla y mirándome a los ojos.

—Así que te has graduado en Harvard y estás en tratos con Max. ¿Qué piensas hacer a partir de ahora?

—Esa es la pregunta del millón de dólares.

—O la de los dos millones de dólares en este caso —me corrigió.

—Sí, es verdad. En fin, no lo sé exactamente. Tengo que irme del campus la semana que viene, así que debo tomar una decisión rápidamente.

—Estoy seguro de que lo conseguirás de una forma o de otra.

Blake colocó un mechón de pelo por detrás de mi oreja, rozando el pendiente antes de poner la mano sobre el respaldo del sofá.

Estaba temblando, apenas capaz de respirar, y me di cuenta de que él lo había notado.

—¿Qué quieres hacer esta noche? —me preguntó en voz baja, dejando que su mirada resbalase por mi cuerpo.

Como si el barómetro de sus ojos tuviese control directo sobre la temperatura de mi cuerpo, sentí que mi piel ardía. No era tan ingenua como para creer que no iba a terminar en la cama de Blake, pero estaba perdiendo la batalla un poco antes de lo que esperaba. Había deseado a otros hombres antes y los había tenido. Distante y concentrada en el aspecto físico de la relación, casi siempre era capaz de llevar el control, pero con Blake no lograba distanciarme.

—¿Qué tal si tomamos otra copa?

Él vaciló, sus dedos rozando mi hombro desnudo.

—Sí, claro, pero si no puedes caminar al final de la noche preferiría que fuese por mi culpa.

«Ay, Dios». La imagen que invocaban esas palabras me robaba el aliento. Cerré los ojos un momento, aceptando en silencio dónde me estaba llevando la noche.

—¿Qué tal una visita guiada? —sugerí, apenas capaz de pronunciar esas palabras.

Blake enarcó una ceja.

—¿Una visita guiada por Las Vegas?

—¿Y si empezásemos por la suite? —insinué, riendo.

Sus ojos se volvieron de un verde intenso, viajando por mi cuerpo antes de volver a clavarse en los míos. Sonreía, mordiéndose el labio inferior en ese gesto tan suyo, tan sensual.

—¿Eso es lo que quieres?

Algo cambió en el ambiente. Mi corazón se detuvo durante una décima de segundo al ver un brillo de ansia en sus ojos. El deseo de sentir sus manos y su boca sobre mí se había vuelto irresistible. Con cada segundo que pasaba me importaban menos las consecuencias, de modo que asentí en silencio.

Blake se levantó y tomó mi mano.

—Una visita guiada entonces.

Una por una fue llevándome por todas las estancias: la sala de masajes, la despensa, los baños, los dormitorios de invitados… la opulencia de todo aquello era tan obsceno como el precio que debía pagar por la suite.

Llegamos a la segunda planta por una escalera con barandilla dorada y me llevó directamente al dormitorio principal, otra habitación haciendo esquina con ventanales del techo al suelo.

Blake se detuvo en el umbral y lo dejé ahí mientras me acercaba a los ventanales para admirar el paisaje de Las Vegas, que seguía asombrándome.

—Podría acostumbrarme a esta vista.

—Yo también —murmuró él.

Estaba tan cerca que podría tocarme, pero no lo hizo, cumpliendo la promesa de ser un caballero… quizá hasta la exageración. Esperé en aquella tensa tierra de nadie, deseando que él diera el primer paso, pero cada segundo que pasaba la tensión y la energía sexual entre los dos era cada vez más palpable.

De repente, dejé escapar el aliento que había estado conteniendo.

«A tomar por saco».

Animada por el champán, tiré hacia arriba del bajo del vestido y me lo quité. Me quedé allí, mis pechos desnudos, solo con las bragas, los zapatos de tacón y la confianza que me daba el alcohol.

La pared de cristal me devolvía mi reflejo y, de repente, Blake apareció tras de mí.

El calor de su cuerpo se traspasaba al mío, aunque mi piel ya estaba ardiendo tanto por la turbación como por el creciente deseo que ya no podía disimular.

Me tocó entonces, deslizando el pulgar por mi espina dorsal hasta el elástico de las bragas. Pasó el dedo por borde del encaje hasta la cadera y me sujetó allí con mano firme, apretándome contra él. Dejé escapar un gemido, cierto grado de pánico mezclándose con el deseo. Eché la cabeza hacia atrás para apoyarla en su hombro, sintiendo que el deseo estaba ganando la batalla.

Me atormentaba con sus labios, lamiendo y mordisqueando la sensible piel desde la oreja al hombro, sujetando mi cadera con una mano mientras con la otra acariciaba mis pechos.

Mi sexo se desbordaba de ansia, los pezones se endurecían ante el contacto. Estaba ardiendo por él, mis sentidos inflamados, el deseo cegándome como nunca.

—Dime lo que quieres, Erica —murmuró sobre mi cuello.

Mi mente susurraba una incoherente retahíla de silenciosos ruegos. Me arqueé ligeramente y sentí su rígido miembro empujando contra la tela del pantalón… y contra mi trasero.

Cubrí sus manos con las mías y me volví para mirarlo, sin vergüenza, pero un poco amilanada ante el brillo de sus ojos, ahora de un verde profundo, ardiente, derritiéndome por dentro. Nuestros cuerpos apenas se tocaban mientras pasaba una mano por su torso, deteniéndome sobre la hebilla del cinturón.

Dios, era asombroso, tan duro y cálido a la vez. Me puse de puntillas para besarlo.

—Te deseo, Blake —musité.

Me devolvió el beso con intensidad, rígido de tensión mientras intentaba contenerse.

—No tienes idea de cuánto te deseo ahora mismo.

Se me doblaron las piernas y él me sujetó, robándome el aliento con otro beso urgente. Disfrutando de los aterciopelados roces de su lengua, a ciegas, empecé a desabrochar los botones de su camisa, notando las duras curvas de su abdomen tensas bajo mis dedos. Toqué el botón de la bragueta y lo desabroché.

—Yo también lo deseo —sonreí, envalentonada.

Sintiéndome juguetona, mordí su labio inferior antes de seguir hacia abajo, besando su cuello, su torso, la piel cetrina sobre unos músculos de hierro, el vello oscuro que recorría los definidos abdominales y se perdía bajo la bragueta.

Me puse de rodillas y levanté la mirada. Era todo lo que había imaginado la noche que nos conocimos y mucho más. Guapísimo, un ejemplar fabuloso de hombre.

Tracé con un dedo el impresionante contorno de su erección antes de tirar hacia abajo de los vaqueros y los calzoncillos para liberarlo. Una vez libre sostuve el impresionante miembro en la mano.

Su carne ardía tanto como la mía, quemando con un deseo primitivo. Noté que Blake contenía el aliento mientras lo envolvía con la mano.

Estaba húmeda de anticipación, pero aunque lo deseaba con todas mis fuerzas, antes necesitaba probarlo, disfrutar de ese momento de control sobre un hombre que me traía de cabeza.

Empezando de forma ligera y suave, me lo trabajé con la lengua. Luego lo introduje en mi boca, hasta el fondo, poniendo más presión. Él masculló una palabrota y enterró los dedos en su pelo mientras lo estimulaba con una mano, poniendo la otra en su estómago plano, moviéndome al ritmo de su jadeante respiración.

—Erica, demonios. Ven aquí, espera…

Con cada segundo que pasaba se ponía más empalmado, más grueso. Después de meterlo profundamente en mi boca, hasta que el glande acarició mi garganta, volvió a maldecir y supe que estaba cerca.

Pero antes de que pudiese terminar con él, tiró de mí para ponerme en pie.

Sus ojos tenían un brillo salvaje, intenso, como si hubiera sobrepasado los límites de su autocontrol.

—Es mi turno —anunció, su voz tan ronca y cruda que casi sonaba como una amenaza.

Me tomó en brazos y, sin esfuerzo aparente, me tiró sobre la cama. Después de quitarme las braguitas abrió mis piernas sujetando mis rodillas. Avergonzada y excitada al mismo tiempo, sentí que me ardía la cara. Estaba completamente expuesta, pero cuando se inclinó sobre mí, el placer de sentir su boca entre mis piernas me hizo olvidar todo lo demás.

Contuve el aliento, a punto de pronunciar su nombre cuando empezó a lamer mi húmedo y tembloroso sexo con la misma sabiduría que usaba para besarme, dando golpecitos con la punta de la lengua, chupando, provocando.

Madre mía, tenía una boca tan habilidosa.

Gimió sobre mí, haciendo vibrar mi clítoris mientras lo chupaba. Mi vagina se comprimía deliciosamente y tuve que agarrarme a la sábana de seda cuando la tensión entre mis piernas aumentaba con alarmante velocidad.

—Sabes tan bien…

El calor de su aliento en una zona tan sensible y las decididas caricias de su lengua sobre el capullo de nervios me llevó al precipicio. Mi mente se quedó en blanco.

—¡Dios!

Me corrí, dejando que el orgasmo se apoderase de todo mi ser.

Unos segundos después, respiraba agitadamente mientras intentaba recuperarme. Me pesaban los párpados, pero vi que él se desnudaba del todo. A pesar del reciente orgasmo mi deseo no había disminuido y necesitaba tenerlo dentro, terminando lo que habíamos empezado.

Se colocó sobre mí con una mirada tan intensa y decidida que estuve a punto de correrme otra vez. Su pene se agitaba suavemente, largo, grueso y duro como una piedra, mientras se ponía el preservativo.

—¿Lista para mí, cariño?

Asentí con la cabeza. Tan lista como podría estarlo.

—Menos mal porque no sé si podría parar aunque quisiera.

Se colocó sobre mí y jadeé suavemente, ardiendo una vez más. Abrió mis piernas con sus potentes muslos y enredé una de ellas en su espalda, arqueándome, invitándolo a penetrarme.

Me sujetó por las caderas, deteniendo mis avances. El glande apenas rozaba mi entrada.

—Blake —murmuré, mi voz jadeante y desesperada.

Se inclinó para buscar mi boca y nuestros sabores se mezclaron con el aroma de mi excitación. Parecía un acto demasiado íntimo, demasiado crudo en esas circunstancias, pero aumentaba mi cegador deseo por él.

Luché para zafarme de sus manos, deseando tenerlo todo. Él soltó mis caderas y entró en mí con una embestida. Dejé escapar un grito suave en su boca, sorprendida por cómo me llenaba, disfrutando de la deliciosa sensación. No había nada mejor en aquel momento que sentir el lento empuje de su cuerpo. Mi vagina se ensanchaba para acomodarlo y el ligero malestar provocado por la invasión pronto dio paso a un deseo más profundo.

—Perfecto —murmuró, embistiéndome de nuevo.

Cerré los ojos y lo sujeté con fuerza para que no pudiese salirse, dejando que esa sencilla palabra marcase el momento.

«Perfecto».

Se movía con deliberadas y medidas embestidas, llenándome y conteniéndose luego con laboriosas pausas, mezclando la satisfacción con un anhelo imposible.

Cada roce me llevaba más cerca del precipicio, la promesa del alivio me llamaba, pero él me mantenía ansiosa mientras se apoderaba de mi boca con besos lentos, profundos.

El ritmo me estaba volviendo loca y el deseo de llegar al orgasmo era irresistible.

—Blake, por favor —mi voz no parecía mía.

Él dulcificó el ritmo hasta que pensé que iba a morir de frustración.

—Confía en mí —susurró en mi oído.

Entonces, sin previo aviso, agarró mi culo y empujó con fuerza dentro de mí. Encontré mi voz en la segunda embestida salvaje, aunque apenas reconocía mis gritos.

Sin pausa, reclamaba mi cuerpo, dándomelo todo, como había estado a punto de suplicarle que hiciera. Y lo tomé todo.

—¡Dios, coño… Blake!

Una tormenta rugía dentro de mí. Mi cuerpo respondía de manera incontrolable y lo agarré del pelo con fuerza.

—Eso es, cariño. Córrete para mí —musitó, apasionado.

El clímax estaba cerca y me cerré sobre su polla, todo mi cuerpo temblando cuando noté que se hacía más grande, más dura, antes de liberarse al mismo tiempo que yo con un rugido gutural.

Se quedó inmóvil durante un segundo, vaciándose en mi interior. Luego, con los ojos cerrados, cayó sobre mí sujetándose con los brazos a la cama.

Poco a poco, el ritmo de nuestras respiraciones volvió a la normalidad, nuestros cuerpos se enfriaron y volvimos a ser nosotros mismos. Me besaba suavemente la mejilla y el cuello mientras nuestros brazos y piernas seguían enredados.

—No sabía…

Blake sonrió sin dejar de besarme.

—¿No sabías qué?

—Que pudiera ser así.

La sonrisa desapareció mientras pasaba la yema del pulgar por mi mejilla. Me dolía el pecho al sentirme tan cerca de él, y me pareció ver un brillo de sorpresa sus ojos.

Pero después de darme un casto beso se apartó.

—Voy a ducharme, vuelvo enseguida... a menos que quieras ducharte conmigo.

—No creo que las piernas me respondan en este momento.

Blake se levantó de la cama, riendo.

—Te lo advertí.

Mientras iba al cuarto de baño admiré su trasero, sintiendo un escalofrío de emoción.

Tenía un culo fabuloso, como cada centímetro de ese delicioso cuerpo. Blake Landon se había convertido en un ataque a mis sentidos, un tren sin frenos que tiraba por tierra mi buen juicio.

Y estaba disfrutando de cada segundo.

Desperté abruptamente, desorientada hasta que reconocí las mariposas doradas pintadas en el techo. Blake estaba tumbado boca abajo a mi lado, roncando tranquilamente sobre la almohada.

Tenía un aspecto tranquilo y relajado, una imagen muy diferente al bárbaro que pocas horas antes me había hecho perder la cabeza. Debía haberme quedado dormida mientras él se duchaba y no se había molestado en despertarme para decir que podía irme cuando quisiera. Aun así, no quería estar allí cuando despertase.

Estaba agotada, feliz, pero la idea de enfrentarme con él a la luz del día hizo que me pusiera en movimiento.

La luz ambiental llenaba la habitación, pero el cielo del desierto seguía siendo negro y las frenéticas luces de la ciudad seguían encendidas. Salté en silencio de la cama y me vestí, pero a pesar de mis esfuerzos no pude encontrar las bragas por ningún sitio.

Después de ponerme los zapatos me detuve frente al escritorio para escribir una nota, sobre la que dejé la ficha de diez mil dólares.

Lo que pasa en Las Vegas…
Un beso, Erica

Miré la línea del horizonte durante unos segundos más y luego salí de la suite sin hacer ruido.

Momentos después entraba sigilosamente en mi habitación, pero Alli estaba recostada sobre la almohada, mirando la televisión.

—Hola, ¿qué haces levantada? —le pregunté. Eran casi las dos de la mañana.

—¿Qué haces tú levantada? —mi amiga frunció los labios.

—Pues… nada.

—Serás zorra. Cuéntamelo todo —Alli quitó el volumen de la televisión y se sentó al borde de la cama, cruzando las piernas.

—No hay mucho que contar —respondí, mientras me quitaba el vestido para ponerme un albornoz.

—No empieces, Erica. Cuéntamelo todo ahora mismo —Alli me señaló con un dedo.

Suspiré mientras me dejaba caer sobre la cama. Aquella mañana la había regañado por hacer lo mismo. Qué hipócrita.

—Solo puedo decir que si Heath se parece a su hermano en la cama… te lo perdono todo, ¿de acuerdo?

—¡Qué fuerte! ¿Ha sido increíble?

—No hay palabras. Ahora solo tengo que encontrar la forma de no volver a verlo.

—¿Por qué? ¿Qué quieres decir? —Alli frunció el ceño, sorprendida.

—Hemos tenido nuestro momento, pero de verdad espero que sea cosa de una sola noche para él porque… —enterré la cara entre las manos, que aún olían a él, respirando su aroma y dejando que el recuerdo de la noche se asentase un poco.

—Erica, ¿qué pasa?

Me enderecé abruptamente, como si me hubiera pillado haciendo algo malo.

—¡No lo sé! —empecé a frotarme las manos, nerviosa—. Solo sé que podría volverme adicta a ese hombre. Estoy aquí para trabajar y, sin embargo, ahora solo pienso en él.

Temblaba de emoción sabiendo que Blake seguía desnudo, durmiendo unas plantas más arriba...

—¿Y quieres que solo sea un polvo de una noche?

—No sé, estoy hecha un lío. Necesito dormir un poco.

Alli no dijo nada, pero atisbé su velada sonrisa mientras apagaba la televisión y se metía en la cama.

Agradeciendo el respiro, entré en el cuarto de baño para darme una ducha. La tremenda emoción de estar con Blake perdió algo de fuerza mientras el chorro de agua golpeaba mis debilitados músculos, llevándose lo que me quedaba de energía.

Blake Landon estaba empezando a importarme demasiado y eso no podía ser.

6

Habían pasado un par de días desde que regresamos de Las Vegas y quería creer que todo volvería a la normalidad, pero nada en mi vida era normal en ese momento. Estaba a punto de quedarme sin un sitio en el que vivir, al tiempo que ponía en marcha una tarea complicada con el objetivo de convertir Clozpin en una empresa de verdad y, sin embargo, no podía quitarme a Blake de la cabeza.

Deseaba que la noche que habíamos pasado juntos fuera solo eso, una noche, pero en el fondo esperaba que se pusiera en contacto conmigo. Aunque me regañaba a mí misma por anhelar tontamente algo que nunca iba a tener. Como el bochornoso abrazo público en el congreso, solo era una chispa. Nada más que un interés pasajero por un engreído multimillonario que no tenía razones para quedarse con nadie demasiado tiempo.

Rebusqué entre los correos, diciéndome que había conseguido lo que quería y cuando salía del centro de estudiantes escuché mi nombre. Una chica rubia de pelo corto ascendía los escalones hacia mí. Alta e impecablemente vestida con una camiseta y una falda de lino parecía una modelo adolescente.

—Hola, Liz. ¿Cómo estás?

Ella esbozó una amplia sonrisa.

—Genial. ¡No puedo creer que por fin hayamos terminado la carrera!

—Lo sé, el tiempo vuela —sacudí la cabeza porque compartía su incredulidad.

—¿Quieres que tomemos un café? Me encantaría charlar un rato contigo.

Sus cálidos ojos castaños parecían sinceros, pero siempre había evitado este encuentro. Nuestra amistad se había resquebrajado cuando me mudé a otra casa después del primer año y nunca habíamos hablado de ello. Pero titubeé un momento. Las clases habían terminado, no había deberes, ni planes. No tenía excusas, de modo que me encogí de hombros.

—Sí, claro.

Recorrimos la corta distancia hasta el café más cercano, donde nos sentamos a una discreta mesa y unos *hipsters* nos sirvieron dos riquísimos y carísimos capuchinos. Durante unos instantes guardamos silencio. Había visto a Liz en el campus en varias ocasiones, pero llevábamos tantos años sin hablar que éramos casi dos extrañas.

—¿Qué planes tienes para el verano? —le pregunté.

—Me voy a Barcelona con mis padres durante unas semanas y en julio empezaré a trabajar.

—¿Dónde?

—En una empresa de inversiones de Boston, haciendo números o lo que sea —Liz sopló sobre su café—. ¿Y tú?

—Creé una red social de moda el verano pasado y por ahora nos va bastante bien, así que voy a encargarme de buscar financiación. Ya veremos cómo va.

—¿Una red social? No esperaba que hicieras algo así.

Enarqué una ceja, extrañada. ¿Por qué no?, me pregunté, partiendo la corteza de chocolate de mi croissant.

—¿Qué tal Lauren y todas los demás?

Me refería a las chicas con las que había compartido habitación el primer año.

—Muy bien —Liz hizo una pausa antes de seguir—. Pero te hemos echado de menos.

Tomé un largo trago de café, sabiendo adónde nos llevaba esa conversación. La universidad había terminado, empezaba un nuevo capítulo en nuestras vidas, y tal vez había llegado el momento de aclarar las cosas, especialmente si iba a toparme con ella. Boston era una ciudad bastante pequeña y resultaba muy fácil toparse sin querer con la gente.

—Lamento no haberte dicho que me iba a mudar a final del primer año. En ese momento tenía muchas cosas en la cabeza. —Eso era quedarse corta, pero no quería hablar del tema. Lo último que necesitaba era revivir unos recuerdos tan dolorosos.

—Lo entiendo, pero pensé que éramos amigas, Erica.

—Lo éramos —asentí—. Y podemos seguir siéndolo. Es que necesitaba empezar de nuevo después de lo que pasó.

Liz esbozó una frágil sonrisa y suspiré con resignación, sabiendo que no había manera de evitar el tema, por mucho que lo intentase.

—Nada fue lo mismo después de esa noche. Tú y todas las demás erais iguales, pero yo no. No podía seguir yendo de fiesta con vosotras como si nada hubiera pasado.

Tomé aire, intentando borrar los dolorosos recuerdos, y aparté mi plato sintiendo una oleada de náuseas.

—No tenía nada que ver con nuestra amistad o contigo. Sencillamente, no podía soportar las miradas de la gente. Además, ¿y si hubiera vuelto a encontrarme con él? No sé qué habría hecho.

Lidiar con lo que había pasado había sido muy difícil para mí y la idea de revivirlo de cualquier forma me aterrorizaba. Lo único que evitaba que mirase por encima del hombro continuamente era que había enterrado esos recuerdos tan profundamente que ya apenas creía que el hombre que me había hecho daño existiera de verdad.

Cuando miré a Liz, el brillo de compasión en sus ojos me puso aún más enferma. Rebusqué en mi bolso, intentando encontrar una excusa creíble para despedirme.

—Quería hablar contigo de ello, pero nunca me diste la oportunidad —dijo Liz.

—Lo creas o no, no me gusta hablar del asunto

Apreté los labios con gesto firme. No quería hablar o pensar en ello siquiera, pero no era culpa de Liz. Nada de aquello era culpa suya.

El brillo inocente de sus ojos me recordó cuántas noches habíamos pasado rebuscando en las cajas con latas de comida de supermercado que enviaban sus padres, compartiendo historias y sueños en nuestra ingenuidad de alumnas de primer año.

Me eché hacia atrás en la silla, tomando aire.

—Necesitaba superarlo por mí misma y, por la razón que fuera, no podía hacerlo en la casa.

—Claro, lo entiendo.

No lo entendía, pero agradecí que lo intentase, aunque estaba haciéndome recordar algo que llevaba mucho tiempo intentando olvidar.

—Tal vez podamos vernos cuando vuelva de España —sugirió—. No tenemos que hablar de eso, por supuesto. Sé cuánto te disgusta.

—Sí, claro —intenté sonreír. No podía cambiar el pasado, pero tal vez podríamos salvar algo de lo que se había perdido—. Podemos seguir en contacto.

Charlamos sobre nuestros profesores y la búsqueda de apartamento en la ciudad mientras Liz terminaba su magdalena y, después de intercambiar números de teléfono, nos despedimos.

Mientras volvía hacia el campus recibí un mensaje de texto. Era Alli.

Llámame. Tengo noticias.

Con el estómago encogido, la llamé sin dejar de caminar.

—¿Qué pasa?

—Tengo noticias.

—Eso ya lo sé. ¿Qué ha pasado?

Alli hizo una pausa.

—He conseguido el trabajo.

—Estupendo —no pude disimular mi decepción. No podía evitarlo, aquella era una noticia horrible.

—¿Erica?

—¿Qué quieres que diga?

Me aparté del camino lleno de gente. Ver a Liz me había alterado y ahora iba a perder a Alli, mi mejor amiga, compañera de habitación y socia en Clozpin. Me negaba a llamar a eso una buena noticia.

—Enhorabuena. Sé que querías ese trabajo. Desgraciadamente, yo no.

Alli se quedó callada un momento.

—Ya habíamos hablado de esto, pero ahora pareces sorprendida.

Tenía razón, pero que se hubiera hecho realidad tan pronto me dolía. Las cosas ya se habían puesto en marcha y solo quedaba la decisión de Max para conseguir los fondos.

—¿Cuándo te marchas?

—En un par de días. Me alojaré en casa de una amiga en Nueva York hasta que encuentre apartamento.

Mi teléfono me avisó que tenía otra llamada. No reconocí el número, pero necesitaba una excusa para cortar esa conversación antes de decir algo de lo que podría arrepentirme.

—Tengo otra llamada, Alli.

Ella suspiró.

—Muy bien. Adiós.

Me sentía culpable mientras cambiaba de línea, pero en ese momento era lo mejor.

—¿Sí?

—Erica, soy Blake.

Maldije para mis adentros. De todos los días que podría haber llamado…

—No es un buen momento.

—¿Estás bien?

—Sí, estoy bien —respondí. Aunque seguramente notaría que no era verdad.

—¿Podemos vernos? Estoy cerca del campus.

Miré alrededor, buscando algún edificio conocido.

—En la plaza Campbell.

—Iré a buscarte en cinco minutos —cortó la comunicación antes de que yo pudiese decir nada más.

Me senté en un banco de la plaza, comprobando mis correos distraídamente para olvidar la bomba que había soltado Alli. En uno de ellos, Sid me informaba de un decente flujo de nuevos usuarios desde el congreso, una buena noticia ya que empezaba a preguntarme si me había gastado tres mil dólares en ese viaje solo para acostarme con Blake.

Pensé entonces en Alli y Liz, y en lo sola que estaba quedándome. Mis ojos se empañaron de emoción y, me sequé una lágrima que rodó por mi mejilla.

En ese momento escuché el claxon de un coche. Blake estaba al otro lado de la calle, en un elegante deportivo negro. Cuando me acerqué, me quedé momentáneamente desconcertada al no ver los tiradores de las puertas hasta que comprobé que eran retráctiles. Subí, de inmediato hipnotizada por el enorme monitor LCD situado entre el asiento del pasajero y el del conductor.

—¿Qué es esto? —exclamé, pasmada ante tantos artilugios de última tecnología.

—Es un Tesla.

—Ah —miré hacia delante, esperando que el coche empezase a moverse.

—Oye… —murmuró Blake, rozando mi mejilla con un dedo.

Tenía un aspecto limpio, sano, apuesto, pero cuando su sonrisa desapareció se me hizo un nudo en la garganta, como si estuviera a punto de ponerme a llorar. Tragué saliva para controlarme, tensa, casi a la defensiva.

—Estoy bien, en serio.

Giré la cabeza y limpié el rímel que se me había corrido para disimular. No sabía si podría ser más vulnerable con aquel hombre de lo que ya lo era y seguir manteniendo cierta integridad profesional.

—¿Qué quieres, Blake?

—Me apetecía verte. ¿Tienes hambre?

—Sí, claro.

No era verdad, pero quería alejarme de allí y esperé que Blake arrancase el carísimo coche con tecnología puntera. Las acciones de Tesla habían subido por las nubes en la bolsa recientemente.

—¿Cuantas acciones de Tesla posees? —le pregunté mientras los edificios de Harvard iban quedando atrás.

—Invertí en la segunda ronda de financiación, así que bastantes.

—Ah, claro.

Llegamos a Boston en tiempo récord porque Blake no mostraba gran preocupación por los peatones o las ordenanzas de tráfico, pero por alguna razón seguía sintiéndome segura y aliviada al dejar el campus atrás.

Permanecimos en silencio hasta que detuvo el coche en un aparcamiento reservado frente a la Torre del Reloj.

El *Black Rose* era un típico pub irlandés en el centro de Boston, a unos pasos del famoso Faneuil Hall y el Mercado Quincy. En el interior, una barra de madera oscura ocupaba un lado del local y escudos de armas de la madre patria cubrían las paredes. Elegimos una tranquila mesa en una esquina, desde donde podíamos ver a la gente en la calle, desde turistas a ejecutivos o carruajes tirados por caballos, algo típico de Boston.

Una guapa y simpática camarera nos preguntó qué queríamos tomar y su acento irlandés me recordó a mi profesor favorito, que también se marcharía en unas semanas.

—Dos desayunos irlandeses y dos cervezas negras —respondió Blake, devolviéndole la carta y volviéndose para mirarme.

—¿Siempre pides por los demás?

—No quería que empezaras a preguntarte sobre la conveniencia de pedir una cerveza tan temprano.

Se inclinó hacia delante, el movimiento hizo que se destacaran los bíceps que asomaban bajo las mangas de su camiseta con el logo *Initech,* de la película *Trabajo basura.* No debería tener un aspecto tan poco profesional en un día laborable, pensé.

—¿Vas a contarme por qué estabas llorando?

Negué con la cabeza, agotada emocionalmente y en absoluto preparada para estar con Blake en este momento.

—Tal vez no haya sido buena idea venir aquí.

Él tomó mi mano cuando iba a levantarme.

—Oye, lo siento.

Cerré los ojos, deseando derrumbarme en cualquier otro sitio, donde Blake no formase parte del público.

—Quédate —dijo en voz baja.

Me eché hacia atrás, pero sin apartar la mano, mi enfado esfumándose. Su roce tenía un efecto calmante que me irritaba, pero que agradecía al mismo tiempo.

—¿Para qué querías verme?

—Para empezar, no me diste oportunidad de despedirme. ¿Siempre sales corriendo de esa forma?

—Pensé que no te importaría —respondí un poco avergonzada, aunque apenas había pensado en otra cosa desde que me fui de la suite dos días antes—. Además, tenía que tomar un vuelo a primera hora.

—¿Has sabido algo de Max?

Por fin pude respirar, aliviada por hablar de negocios de nuevo.

—Sí, nos veremos la semana que viene.

—¿Qué tal va la búsqueda de apartamento?

Puse los ojos en blanco y dejé escapar un gemido.

—Ahora que Alli va a mudarse a Nueva York, supongo que será más fácil ponerse en movimiento.

—No parece una buena noticia.

—No, no lo es. Tendré que volver a vestirme sola y no será fácil —intenté bromear.

No estaba mintiendo, pero evidentemente su buen gusto para la moda no era lo único que iba a echar de menos. Alli era mi mejor amiga, mi confidente, mi colega. Seguía sin creer que mi compañera de habitación no sería ya mi compañera. Solo estaríamos a una hora de vuelo la una de la otra, pero sentía un miedo irracional a que nuestras vidas empezaran a moverse en direcciones diferentes y que, tarde o temprano, eso terminase por romper la amistad que habíamos forjado. En fin, solo el tiempo lo diría.

—Conozco a alguien que podría ayudarte —Blake sacó una tarjeta de su cartera y me la ofreció.

Fiona Landon. Agente inmobiliaria registrada.

—Si está emparentada contigo, dudo que tenga algo que yo pueda pagar.

—Es mi hermana pequeña y nunca se sabe. Es famosa por encontrar buenos apartamentos. Dile que te envío yo.

—Te he contado mi situación por hablar de algo —suspiré—. No estaba pidiendo ayuda. Soy perfectamente capaz de encontrar apartamento yo sola.

—Ya lo sé —asintió él, pasando la yema del pulgar por mis nudillos—. Pero llámala de todas formas.

Aparté la mano para guardar la tarjeta en el bolso, sabiendo que la llamaría porque Blake me lo había pedido y no me dejaría en paz hasta que lo hiciera.

La camarera llegó con el desayuno, riquísimo y lleno de calorías, dos requisitos de la comida como consuelo que en ese momento agradecía muchísimo. Y regarla con unos cuantos tragos de cerveza negra tampoco estaba mal. Mientras comíamos, charlamos de deportes, un tema sobre el que dos bostonianos podían ponerse de acuerdo. La verdad es que cuando yo no estaba disgustada y él no estaba lanzándome de cabeza a una montaña rusa, disfrutaba de su compañía y poco a poco la charla consiguió animarme.

Fuera del restaurante, el sol calentaba las calles empedradas mientras volvíamos al coche. Después de cuatro años, Boston seguía siendo una ciudad que me deslumbraba. Las calles tenían historia y el carácter de su gente siempre me hacía sentir como en casa. Era imposible vivir allí y no sentirse apasionado, incluso un poco posesivo, por aquella hermosa ciudad.

Blake entrelazó sus dedos con los míos y mi corazón empezó a latir un poco más deprisa.

—¿Dónde vamos ahora? —preguntó.

Quería creer que era una pregunta inocente, pero vi un interrogante en sus ojos. No me habría importado responder «a tu casa», pero acostarme con Blake cada vez que me miraba de esa forma no podía convertirse en una costumbre.

Bajé la mirada, intentando olvidar cuánto deseaba volver a estar con él.

—Debería irme a casa. Tengo mucho trabajo que hacer —respondí, esperando que me creyera.

Blake me miró en silencio durante unos segundos.

—Me parece muy bien. Yo te llevaré.

Salimos del restaurante para volver al coche y en el camino sonó su móvil. La foto de una morena guapísima apareció en la pantalla del navegador del coche, al lado de un nombre: *Sophia*.

Blake no atendió la llamada y siguió con la vista al frente, sin mostrar emoción alguna. Por supuesto, no tenía derecho a preguntar quién era la tal Sophia. No teníamos una relación y pensar que alguien tan guapo y poderoso como Blake no saliese con otras mujeres era poco realista.

Sin embargo, imaginar a otras mujeres en su vida me dolía.

Cuando llegamos frente al edificio del campus en el que residía detuvo el coche y salió para abrirme la puerta. Subí los escalones de la entrada buscando las llaves en el bolso y me volví para decirle adiós, pero Blake me atrajo hacia sí, dejándome sin aliento.

—Me debe un beso de buenas noches, señorita Hathaway.

Antes de que pudiera responder se apoderó de mi boca y el calor de sus labios hizo que me derritiera.

«Dios mío, sus labios».

El estrés de la mañana se convirtió en un lejano recuerdo, reemplazado por un ansia que ninguno de los dos podía satisfacer en ese momento.

—Invítame a subir.

Me aparté, sin aliento, negando con la cabeza.

—Entonces ven a casa conmigo —insistió, su voz descarnada, ronca.

En algún rincón de mi mente empecé a psicoanalizarlo todo para intentar desengancharme de aquel hombre irresistible.

—No puedo.

En realidad, podría hacerlo. De hecho, estaba deseando repetir la experiencia de la suite en Las Vegas, pero no sabía dónde me llevaría eso. ¿A una larga sucesión de revolcones? ¿Esperar a la cola con otras mujeres que llamaban su atención?

Aparte de eso, necesitaba concentrarme en el trabajo más que nunca y olvidarme de todo en la cama de Blake probablemente no iba a ayudarme en ese aspecto.

—Entonces, cenemos juntos.

—No —insistí—. Además, la última vez no te portaste como un caballero precisamente.

—¿Ah, no? Si no recuerdo mal, fuiste tú quien quiso ver las habitaciones.

Empujó su creciente erección hacia mí, arrancándome un gemido. Intenté no olvidar que estabamos en la calle, a la vista de todo el mundo, pero me preocupaba más estar olvidando mis objetivos para adentrarme en una peligrosa atracción que ya me tenía enganchada.

—Blake, en serio. Lo que pasó en Las Vegas fue… estupendo, de verdad —hice una pausa, intentando desesperadamente recuperar el control—. Pero ahora mismo no puedo lidiar con esto… lo que sea que hay entre nosotros.

Le di un beso suave, respirando su aroma por última vez antes de apartarme. Él me soltó, pero, a juzgar por el brillo de deseo que vi en sus ojos, no le hacía ninguna gracia.

—Adiós, Blake.

7

Solo quedaban unos días antes de tener que desalojar la habitación que ocupaba en el campus. Me estaba quedando sin tiempo y sin opciones para encontrar un sitio decente en el que vivir. Debería haberme puesto a buscar mucho antes, pero la vida estaba poniéndome obstáculos últimamente y decidí llamar a la hermana de Blake, esperando que me echase una mano.

Fiona Landon era guapísima, con una estilosa media melena de un tono castaño claro con las puntas rizadas. Joven, profesional y elegante, llevaba un vestido con lunares de color azul marino cuando nos encontramos para comenzar la búsqueda de mi primer apartamento.

Los primeros que me enseñó eran lo que había esperado con mi presupuesto: en zonas decentes de Boston, pero pequeños y mal comunicados. Enseguida me di cuenta de que tendría que hacer concesiones o fijarme un presupuesto más realista.

Paramos para comer algo en un bar frente a un parque público para descansar un rato.

Después de hacer algunas llamadas para pedir cita en otros apartamentos, Fiona volvió conmigo a la mesa.

—Cuéntame, ¿cómo conociste a Blake?

Me atraganté con la limonada. «Dios, si ella supiera».

—Estoy en tratos con Angelcom para invertir en mi negocio.

—Ah, qué bien. Espero que tengas éxito.

—Yo también.

—Blake se involucra mucho en sus inversiones. Algunas de las empresas en las que invierte suben como la espuma.

Asentí, sin contarle que su hermano había decidido «pasar» de mí.

Bueno, había decidido pasar de Clozpin. Estaba interesado en mí y me perseguía con la implacable determinación que una podía esperar de un empresario de éxito como él.

—¿Y tú? ¿Te dedicas solo a la gestión inmobiliaria?

—Llevo los negocios inmobiliarios de Blake, pero también hago mis pinitos en otros proyectos.

—Imagino que está bien trabajar en un negocio familiar.

—Desde luego. Blake nos mantiene ocupados.

—Hace poco conocí a Heath —comenté, sin contarle los detalles de nuestro encuentro en Las Vegas.

—¿Ah, sí?

—Es un personaje —seguí, esperando averiguar algo más sobre su carismático hermano y los problemas que Blake tenía con él, aunque solo fuese por Alli.

—Desde luego —asintió Fiona, apartando la mirada—. No sé cómo Blake puede con él. ¿Tú tienes hermanos?

—No, soy hija única.

Durante años había estado sola, pero a menudo imaginaba cómo habría sido mi vida con un hermano o dos; alguien con quien compartir la pena tras la muerte de mi madre o reírme de los problemas. La persona más cercana era Elliot, pero, como yo, él había rehecho su vida.

Cuando terminamos de comer, Fiona me llevó al último apartamento del día, que según ella se parecía más a lo que estaba buscando.

Detuvo el coche frente a un pintoresco edificio de ladrillo marrón en la avenida Commonwealth, una calle flanqueada por árboles con paseos peatonales y jardincillos bien cuidados separando los edificios. Era una de las mejores zonas de la ciudad y, aunque me gustaba mucho más que lo que había visto hasta el momento, me preocupaba que fuese demasiado cara.

En cualquier caso, la seguí escaleras arriba hasta un espacioso y luminoso apartamento de dos habitaciones.

—Vaya, es estupendo.

—Acaba de salir al mercado —comentó Fiona.

Los electrodomésticos eran nuevos, las paredes estaban recién pintadas y los suelos de madera oscura tenían un aspecto impecable.

—Es perfecto, pero dudo que pueda permitirme algo tan bonito.

—El propietario está dispuesto a alquilarlo a un precio adecuado si encuentra al inquilino adecuado. Se sale de tu presupuesto, pero es tan bonito que tenía que enseñártelo.

Me mostró un documento con el precio de alquiler. Estaba muy por encima de lo que estaba dispuesta a pagar, pero era tan especial que merecía la pena.

Dejé escapar un suspiro mientras hacía cálculos mentales.

—Tiene dos habitaciones, así que podrías compartir el alquiler con otra persona —sugirió Fiona—. No va a estar en el mercado mucho tiempo, Erica. Si crees que puedes pagarlo llamaré ahora mismo.

Tendría un mirador, una bañera y una segunda habitación para hacer lo que quisiera con ella. Estaba actuando por instinto últimamente, ¿por qué parar ahora?

—¿Dónde hay que firmar?

Guardé la última prenda en una bolsa negra de basura y la tiré al lado de las otras. Alli y yo apenas habíamos hablado en todo el día, salvo para negociar quién se quedaría con las cosas que habíamos comprado juntas.

Curiosamente, sentía como si fuera una ruptura y, como ocurría en una ruptura, tenía los nervios destrozados. Cuando terminamos de guardar nuestras cosas nos sentamos sobre los colchones, escuchando el crujido de los muelles. No echaría eso de menos.

—¿Has sabido algo de Heath? —le pregunté, para aliviar la tensión.

Ella enarcó una ceja, asintiendo con la cabeza. Genial, estaba castigándome con su silencio.

—¿Y bien?

—¿Y bien qué? —me espetó—. No finjas que te importa, Erica.

—Oye, lo siento. Me has pillado en mal momento y… —una lágrima rodó por mi mejilla, pero me la sequé—. Me gustaría que no tuvieras que irte, pero quiero que sepas que lo entiendo. Yo…

Alli se levantó para darme un abrazo.

—Quiero que seas feliz y sé que lo serás —susurré.

Ella se apartó para tomar mi cara entre las manos.

—Eres mi mejor amiga, Erica, y un par de cientos de kilómetros no van a cambiar eso. Y no pienses ni por un momento que no puedes llevar el negocio sin mí. Es tu niño, ya no hay nada que te detenga.

—Lo dices como si fuera tan fácil.

—Tú has hecho que todo pareciese fácil desde el primer día. No sé cómo lo hemos hecho, la verdad, pero sé que no podríamos haberlo hecho si tú no hubieras estado al timón.

Quería creerla, pero ahora que se iba, el peso de la responsabilidad era como una losa sobre mis hombros.

Por suerte, ahora tenía más tiempo para hacer las cosas, pero empezaba a cuestionar la decisión de quedarme en Boston cuando, aparentemente, todas las personas que me importaban estaban a punto de marcharse.

Por la mañana, Fiona estaba esperándome frente al portal, tan elegante como el día anterior con un veraniego vestido de colores

—¡Enhorabuena! —me abrazó, sonriendo.

—Gracias por encontrar un apartamento tan bonito.

—De nada, encantada.

Curiosamente, cuando miró el todoterreno en el que había llegado, su sonrisa desapareció.

Brad bajó del coche y se reunió con nosotras en la acera, frente al edificio. Brad era amigo de un amigo. No lo conocía muy bien, pero era un tipo agradable y, sobre todo, iba al gimnasio; por eso me atreví a pedirle que me ayudase a subir el futón por la escalera. Insistió en hacerlo solo y lo hizo con soltura, sin rozar siquiera las inmaculadas paredes.

Fiona parecía un poco nerviosa mientras me daba la llave, aunque no le presté mucha atención.

Brad entró en la habitación que sería mi dormitorio, pero antes de que pudiera seguirle alguien bajó por la escalera.

«Ah, un vecino», pensé, animada… hasta que el puñetero Blake Landon dobló la esquina y me miró con una sonrisa de las que te derriten el corazón.

—¿Qué haces aquí? —el tono de mi voz revelaba un miedo que me habría gustado disimular.

Llevaba tres días creyendo haberme librado de él para siempre mientras, al mismo tiempo, me preguntaba por qué quería pasar del mejor sexo de mi vida.

—Vivo aquí.

Fiona prácticamente se había encogido y eso dejaba claro que estaban compinchados.

—Lo siento —susurró antes de dar media vuelta.

—Vives aquí.

No era una pregunta sino más bien una confirmación de mis peores miedos.

—Bueno, en realidad soy el propietario el edificio, pero además vivo aquí.

Crucé los brazos y empecé a golpear el suelo con el pie. ¿Cómo podía expresar la ira que sentía hacia aquel hombre increíblemente sexy que no dejaba de meterse en mi vida?

—Pareces enfadada. ¿Puedo hacer algo?

Al menos tenía la decencia de mostrarse compungido; muy inteligente por su parte ya que estaba considerando recurrir a la violencia para dejar claro lo que pensaba. Con aquel hombre, las palabras no servían de nada.

—¡Para empezar, puedes dejar de entrometerte en mi vida! —le espeté, clavando un dedo en sus duros pectorales—. ¿Por qué coño crees que puedes plantarme en el apartamento que quieras y pensar que es totalmente normal?

—Para ser una chica de Harvard tienes una boca muy sucia.

—Déjate de gilipolleces, Blake.

—¿De verdad querías vivir en un cuchitril lleno de pulgas?

—¿Qué tiene eso que ver? No entiendes nada, ¿verdad?

Exasperada, entré en el apartamento y cerré de un portazo. Me siguió, claro, y cuando se encontró con Brad, decir que se quedó sorprendido sería quedarse corto.

Blake era más delgado y, en general, menos corpulento, pero le sacaba una cabeza. Blake guiñó los ojos al ver a Brad y apretó los puños en un gesto que no me gustó nada.

—Esto… hola —lo saludó Brad, cortado.

Tomé mi monedero y saqué los cincuenta dólares que habíamos acordado.

—Muchísimas gracias, Brad. Creo que ya está todo. Deja el resto de las bolsas en el portal, yo misma las subiré.

—¿Estás segura?

—Sí —respondimos Blake y yo al unísono.

De alguna forma, mientras se peleaba conmigo por el privilegio de cargar con las bolsas, me convenció para que cenásemos juntos en su apartamento. Estaba hambrienta y agotada, así que a acepté, aunque a regañadientes.

Entramos en un salón abierto, con una cocina de diseño a la derecha y la zona de comedor y esparcimiento a la izquierda. El apartamento en general era todo lo que había esperado: luminoso y moderno, lleno de muebles contemporáneos, sofás de microfibra color crema, suelos de madera oscura y algunos detalles de color azul mar en cuadros y objetos decorativos. Imaginé que otra persona, seguramente una mujer, lo había ayudado a decorarlo.

Lo que más me sorprendió, especialmente después de haber visto su Tesla de última generación, era que no hubiese ordenadores o aparatos electrónicos a la vista, pero tal vez estarían bien camuflados.

—¿No tienes ordenadores?

—No, no muchos. Si necesito conectarme voy a mi oficina.

—Ah, qué sorpresa.

—¿Por qué?

—Porque podrías orquestar una pequeña conferencia desde el navegador de tu coche y pensé que tu casa sería igual.

—Estuve quince años mirando pantallas hasta que por fin me di cuenta de que se me ocurrían las mejores ideas cuando no estaba conectado a Internet durante largos períodos de tiempo.

—Sí, es comprensible —murmuré.

Aunque yo aún no podía controlar mi propia obsesión por la tecnología. Necesitaba tener acceso a Internet a todas horas, por si acaso. No estar conectado a la Red durante más de una hora, especialmente para alguien como Blake, era impensable.

—¿Vino?

Aquel día había sido caluroso, agotador y estresante. Lo único que deseaba era terminarlo con una copa de fresco vino blanco, pero eso podría llevarme al dormitorio de Blake, un sitio que estaba decidida a evitar, especialmente en mis nuevas circunstancias.

Ahora que éramos vecinos, gracias al contrato de alquiler que había firmado recientemente, tenía que reforzar las barreras.

—Agua —respondí—. ¿Qué hay de cena? ¿Puedo ayudarte en algo?

—Pues…

Blake abrió un cajón del que sacó un montón de menús de comida para llevar.

—Elige lo que quieras, pero te recomiendo el restaurante tailandés al final de la calle. La mejor comida tailandesa que hayas probado nunca.

Fruncí los labios, un poco asombrada de que me hubiera invitado a cenar sin tener un plan. Eso parecía raro en él, que siempre iba unos pasos por delante de mí, una cualidad que no volvería a subestimar.

—A ver si lo adivino, no sabes cocinar.

—Tengo muchos talentos, pero cocinar no es uno de ellos.

—¿Lo has intentado alguna vez?

—No, la verdad es que no. —Blake se encogió de hombros.

—¿Hay un mercado cerca?

Él enarcó las cejas.

—A un par de manzanas de aquí.

—Yo tengo una nevera vacía e imagino que tú también. ¿Qué tal si vamos al mercado y después te enseño a hacer una cena decente para que te luzcas la próxima vez que invites a una chica a tu apartamento?

Blake se quedó callado un momento. No sabía si estaba enfadado o pensándose la oferta. Fuera como fuera, él se entrometía en mi vida cuando le daba la gana y me negaba a andar con pies de plomo con Blake Landon, multimillonario o no.

—Muy bien, vamos —respondió por fin.

Blake estaba como pez fuera del agua en el mercado. Le pregunté qué le gustaba y qué no, y luego compré los ingredientes necesarios para hacer una de mis especialidades: *linguini* con almejas, uno de los primeros platos que mi madre me había enseñado a preparar.

Como aún no tenía todos los utensilios necesarios, como cacerolas o sartenes, me dispuse a preparar la cena en la cocina gourmet de Blake mientras él se quedaba un poco apartado, mirando. Me faltaba práctica, pero poco a poco encontré el ritmo.

Después de cuatro años de vida comunitaria en la universidad, con una cocinita en la que solo había lo más básico, echaba de menos una cocina de verdad y en la de Blake no faltaba de nada.

—¿Vas a quedarte ahí o piensas echarme una mano? Toma, corta esto —le ordené, dejando una cebolla sobre la encimera.

Lo vigilé por el rabillo del ojo, fingiendo no darme cuenta de que tenía que parpadear para controlar las lágrimas.

Me sentía como en casa, narrando lo que hacía para él. Aunque en silencio, Blake era un alumno atento.

Un poco demasiado atento porque lo pillé mirándome el culo cuando me incliné para buscar un colador en uno de los cajones, pero aproveché la inversión de papeles en la relación para enseñarle lo más básico sobre la pasta: cómo saber cuándo está *al dente* y la diferencia entre un buen bloque de queso parmesano y el queso parmesano que venden rallado.

Cuando terminé, serví los platos y Blake los llevó a la zona de comedor. Nos sentamos a una mesa preciosa y seguramente carísima. La verdad es que, estando con Blake, era fácil acostumbrarse a las cosas caras.

Comimos en silencio durante unos minutos.

—Me gusta —murmuró, mientras enredaba la pasta con el tenedor.

—Gracias. La buena noticia es que mañana sabrá aún mejor.

—¿Cómo va a saber mejor?

—La pasta absorbe todo el jugo de las almejas y adquiere un sabor fantástico.

Él asintió mientras seguía comiendo con apetito y sonreí, contenta de llevar el mando.

—¿Estás preparada para tu reunión con Max? —quiso saber Blake.

Su plato estaba casi limpio mientras yo apenas había tocado el mío.

—No del todo. He estado muy ocupada con la mudanza y solucionando cosas de última hora, pero pienso ponerme a trabajar en los detalles esta semana.

—Querrá saber más sobre tus estadísticas de conversión.

—Muy bien —asentí, tomando nota. Tendría que ponerme a trabajar en ello.

—Y necesitarás un desglose específico de los gastos que tienes ahora y los que esperas tener después de recibir los fondos. Con Alli fuera del proyecto y los cambios en tus gastos personales, tienes que empezar a pensar cómo quedará tu nuevo panorama financiero si consigues los fondos.

—Sí, claro.

—¿Tienes estadísticas de resultados de marketing? ¿Qué funciona y qué no?

—Pues… un poco —respondí—. Tengo análisis, pero la verdad es que hace tiempo no he revisado esos números.

Blake se inclinó hacia delante, apoyando los codos en la mesa.

—¿Qué vas a hacer mañana?

—Parece que me han puesto muchos deberes —respondí, irónica.

—¿Por qué no pasas por mi oficina un rato? Yo puedo ayudarte. Recibirás los fondos antes si puedes responder a todas esas preguntas sin pestañear. Si no lo llevas bien preparado, Max te pedirá otra reunión. Solo hay unas cuantas preguntas fundamentales para conseguir el prestamo, pero tienes que saber las respuestas de memoria.

Si alguien podía ayudarme en ese proceso era Blake. Rechazar su oferta sería una grosería, por no decir una estupidez. A pesar de ello, la idea de involucrarlo en mis asuntos me hacía vacilar.

—¿No sería un conflicto de intereses?

Intentaba encontrar alguna razón para rechazar su ayuda porque odiaba necesitarlo en aquel momento.

—No, Erica. Ya te he dicho que yo no voy a invertir en tu proyecto.

—Te lo agradezco mucho, de verdad, pero no quiero molestar.

—No será ninguna molestia. Mi oficina está frente a la Torre del Reloj —Blake sacó una tarjeta de la cartera—. Nos veremos allí después de comer para repasar las cifras —tomó su plato vacío y lo llevó a la cocina.

—¿Cuándo comiste por última vez? —le pregunté cuando volvió con otro plato lleno y una botella de cerveza.

—Me encanta la comida casera —Blake sonrió ante de tomar un trago directamente de la botella—. ¿Qué hay en el menú para mañana por la noche? Dímelo y llenaré la despensa con los ingredientes.

—No sabía que tuviera que pagar mi alquiler cocinando para ti —murmuré, levantando los ojos al cielo.

—Creo que no me importaría dejarte vivir gratis en el apartamento si me hicieras una cena como esta todas las noches.

—Muy tentador —bromeé, aunque jamás lo aceptaría.

Al parecer, Blake estaba dispuesto a cualquier cosa para tenerme en el edificio, disponible para él cuando quisiera. Endulzar el trato con cocina gourmet probablemente sería contraproducente. Tal vez podría mantenerlo a raya con comida en lugar de sexo…

Podría ser un buen plan, pero tenía uno mucho mejor.

8

Después de limpiar la cocina nos sentamos uno al lado del otro en el sofá, frente al mirador, como en Las Vegas. Pero, decidida a que aquella noche tuviese un final diferente, no fui precisamente sutil cuando me aparté unos centímetros.

—¿Dónde has aprendido a cocinar tan bien?

Me lo pensé antes de responder, intentando decidir qué parte de mi vida personal quería compartir con él. De forma invariable, hablar sobre mi madre siempre introducía el elemento del misterioso padre, un concepto extraño para los que tenían un padre y una madre. Que desconociese la identidad de mi padre despertaba una variada gama de reacciones, desde la sorpresa a la censura o la compasión.

Pero, a pesar de mis recelos, evitar sus preguntas solo serviría para retrasar lo inevitable. Sin duda, Blake insistiría y, al final, me sacaría la verdad.

—Mi madre era una cocinera fantástica. Ella me enseñó todo lo que sé sobre cocina.

—¿Era? —repitió él en voz baja.

—Falleció cuando yo tenía doce años. —Tragué saliva para controlar la tristeza que me embargaba cada vez que hablaba de ella—. Un día se puso enferma y cuando descubrieron lo que tenía, el cáncer se había extendido agresivamente. No pudieron hacer nada y murió dos meses más tarde.

—Lo siento —murmuró Blake.

—Gracias —entristecida por el recuerdo, empecé a jugar con un desgarrón en la pernera de los vaqueros—. Ha pasado tanto tiempo que a veces me cuesta recordarla, pero creo que la comida es una forma de mantener vivo su recuerdo. Eso suena raro, ¿no?

—A mí no me suena raro. —Blake se giró hacia mí para tomar mi mano—. ¿Entonces te crio tu padre?

Empezó a hacer perezosos círculos sobre la palma con el dedo, distrayéndome y calmándome al mismo tiempo.

—Mi padrastro hizo lo que pudo durante un año, pero a los trece me envió a un internado en la costa Este. Pasé un verano con él en Chicago y el resto con la mejor amiga de mi madre, Marie, que vive a las afueras de Boston. Pero desde entonces he estado sola.

—Eso es mucho tiempo para estar sola.

Asentí, en silencio.

—Es verdad, pero no tengo nada con lo que compararlo. Mi vida es como es y ya está.

—Imagino que los echarás de menos.

Apenas sabía lo que era tener un padre, pero supongo que me habría gustado tener uno si las circunstancias hubieran sido diferentes.

—Echo de menos a mi madre todos los días —le confesé—. Pero esta es mi vida y lo que ha hecho que sea como soy y no puedo estar lamentándome por lo que podría haber sido.

Estaba en desventaja con la mayoría de los chicos de mi edad, que habían tenido más oportunidades de no meter la pata porque sus padres estaban ahí para ayudarlos cuando flaqueaban o para indicar la dirección adecuada en momentos de indecisión.

Había aprendido muy pronto que mi red de seguridad tenía grandes agujeros, lo cual seguramente explicaba por qué últimamente me sentía como si estuviera perdida en medio del mar sin un salvavidas. Y mi debilidad por Blake añadía un grado de dificultad a la ya arriesgada tarea de llevar el negocio sin Alli. Sin embargo, allí estaba, dándole otra oportunidad para erosionar mi confianza.

—Es tarde. Debería irme.

—No tienes que irte. —Su tono era serio, pero no sugerente.

Lo miré a los ojos buscando alguna pista, esperando no ver en ellos un brillo de compasión. La mía no era una historia feliz, pero lamentarme no me había llevado a ningún sitio.

—Lo sé, pero tengo un millón de cosas que hacer antes de que nos veamos mañana. —Me levanté—. Disfruta de las sobras.

Blake se levantó también.

—Estoy deseando que llegue el momento en que puedan ser considerados sobras.

Estaba lo bastante cerca como para sentir su aliento sobre mis labios. La tensión sexual crepitaba entre los dos.

Un par de horas antes estaba cabreada con él, pero desde entonces lo había visto devorar mi plato de pasta favorito y, además, se había mostrado increíblemente amable. Aun así, íbamos a ser vecinos y eso requería cuidadosa consideración sobre cuál sería nuestro trato a partir de ese momento.

Desgraciadamente, Blake no me había dado muchas oportunidades para considerar nada y mis emociones eran un caos.

Metí las manos en los bolsillos de los tejanos para contener el deseo de tocarlo y bajé la mirada, preguntándome si era el momento para hablar de ello.

—¿Qué ocurre? —me preguntó con un gesto de preocupación.

Cuando tocó mi cara con una mano me incliné hacia ella sin poder evitarlo.

—Para empezar, sigo enfadada contigo.

Blake esbozó una sonrisa mientras trazaba mis labios con la yema del pulgar. Se pasó la lengua por los suyos y los míos se entreabrieron como respuesta, temblando ante la promesa de un beso.

—Me gustas cuando estás enfadada —murmuró.

—¿Siempre eres tan testarudo?

—Solo cuando algo me gusta de verdad.

—Ah, vaya, qué suerte tengo. —No pude esconder una sonrisa.

—¿Estás buscando un cumplido?

—No, lo que espero es que tengas una buena razón para poner mi vida patas arriba.

Blake dio un paso atrás, pasando una mano por su pelo en un gesto nervioso. Pero yo quería que se acercase otra vez, que me tocase.

—Tú eres diferente.

Fruncí el ceño.

—Ah.

—Quería volver a verte y tú no me lo ponías fácil. —Arqueó las cejas—. ¿Eso es suficiente?

Suspiré, dando un paso adelante.

—Supongo que ya lo veremos.

Le di un beso en la mejilla y me dirigí a la puerta a toda prisa porque no quería encontrar excusas para quedarme.

Volví a mi apartamento, que me pareció demasiado pequeño y vacío comparado con el de Blake. Aquel era mi nuevo hogar, pero tenía muchas cosas que hacer antes de sentirlo como mío. Miré la montaña de bolsas y cajas que debía organizar antes de ponerme a trabajar... y entonces recordé algo.

Saqué el teléfono y marqué el número de Sid, que respondió a la segunda señal.

—¿Qué pasa?

—Un par de cosas. Alli ha conseguido el trabajo en Nueva York.

—Vaya —murmuró, sin mostrar emoción alguna.

—Además, alguien de Angelcom va a ayudarme a preparar la segunda reunión con Max, y eso podría servirnos para conseguir la financiación.

—Genial.

—Y otra cosa, ¿dónde vas a alojarte cuando cierren el campus?

—Pensaba quedarme con unos amigos hasta que encontrase algo.

—En mi apartamento hay una habitación libre y me vendría bien un poco de compañía. ¿Te interesa?

Sid se quedó callado un momento.

—¿Estás segura?

—Claro que sí.

—Muy bien, por mí encantado.

Sonreí mientras le daba la dirección.

El rótulo en las puertas de vidrio esmerilado decía *Grupo Landon* con letra en negrita. Crucé el vestíbulo de entrada y me encontré con una sala llena de estaciones de trabajo de alta tecnología.

Vi a Blake sentado en el alféizar de una ventana, hablando con un joven que llevaba unos cascos colgando del cuello. Sobre su mesa había varios objetos de colección de la serie *Star Trek*.

A Sid le encantaría aquel sitio, pensé.

Blake levantó la mirada y murmuró algo antes de dirigirse hacia mí.

—Hola.

Me saludó con una juvenil sonrisa y tomó mi mano para llevarme por el amplio pasillo central hasta un despacho al otro lado de la sala. El gesto me pilló desprevenida, pero todo el mundo parecía concentrado en su trabajo, como si no hubiera vida más allá de las secuencias de datos que proporcionaban los ordenadores.

No iba vestida para la ocasión, pensé. Con una falda tubo blanca, una blusa sin mangas de cuello negro y respetables zapatos de tacón, llamaba la atención entre camisetas, sudaderas con capucha y camisas hawaianas.

Al parecer, tenía mucho que aprender sobre la moda en la cultura tecnológica de las empresas emergentes.

Frente al que debía ser el despacho personal de Blake había una joven bajita de aspecto *punky* inclinada sobre un escritorio en forma de L, con la mirada clavada en la pantalla de su ordenador.

—Erica, te presento a Cady.

La joven se levantó de un salto para estrechar mi mano. Su aspecto era tan informal como el de los demás, con tejanos y camiseta blanca, el brazo izquierdo cubierto de coloridos tatuajes que se entremezclaban como una obra de arte. Pero lo que más llamaba la atención era su pelo, cortado al estilo mohicano y teñido de rubio platino, con las puntas de color rosa. En las orejas, a modo de pendientes, llevaba brillantes arandelas de metal a juego con un cinturón de tachuelas.

—Encantada de conocerte.

Cady apretó mi mano con una encantadora sonrisa que iluminaba sus ojos grises. A pesar de los tatuajes y las tachuelas, resultaba muy atractiva.

—Lo mismo digo.

—Cady es mi ayudante personal y también tu vecina —dijo Blake.

Lo miré, extrañada y un poco molesta. No sabía que tuviera una compañera de piso.

—Vivo en el piso de abajo, pero no nos hemos cruzado todavía —me explicó ella.

Respiré, aliviada y sorprendida por mi propia reacción.

—Ah, vaya. Muy bien.

¿Qué coño? No debería importarme que Blake tuviese una compañera de piso. Después de todo, yo misma estaba a punto de tener un compañero.

—Si quieres saber algo sobre el piso o el barrio, te lo contaré encantada. También soy la administradora extraoficial de Blake.

—Estupendo, gracias.

Cady se despidió con un gesto mientras Blake me llevaba a su despacho y cerraba la puerta tras él. El despacho me sorprendió menos que su apartamento, aunque seguía siendo imponente. Había tres enormes monitores sobre uno de los escritorios, dos con docenas de secuencias de códigos y el último lleno de hojas de cálculo. En una esquina había una enorme pantalla de televisión colgada en la pared, conectada a innumerables videoconsolas.

Lo que Heath había dicho sobre que Blake hacía el trabajo laborioso parecía ser cierto. Estaba segura de que yo no podría hacer tantas cosas al mismo tiempo.

Me llevó a una larga mesa de cristal frente a una pizarra electrónica.

—Muy de *Misión Imposible* —comenté, esperando secretamente tener una excusa para escribir en ella.

Tal vez podría hacer una lista de las barreras que debían existir en nuestra relación.

Blake rio mientras se sentaba a mi lado.

—Muy bien, enséñame lo que tienes.

Como si hubiera pulsado un interruptor, volví a ser la profesional que era a partir de ese momento, concentrada durante las siguientes dos horas en el diseño de un plan para la segunda fase de la presentación.

Concreté números y le expliqué algo más sobre mi negocio, tomando notas sobre los puntos concretos que estudiaría por la noche, mientras intentaba no dejar que su proximidad me distrajese.

Incluso en esas circunstancias no podía dejar de recordar que habíamos compartido una noche de desatada pasión. Y esa era la razón por la que, en general, la gente evitaba las aventuras en el lugar de trabajo. Cuando no estaba mirándolo a los ojos podía fingir que no me sentía insoportablemente atraída por él, pero tenía que hacer un gran esfuerzo.

—¿Me he ganado la cena?

Blake se arrellanó en la silla, con un bolígrafo detrás de la oreja y una perversa sonrisa en los labios…

No era justo, pensé. Las mujeres tenían que esforzarse mucho para conseguir ese encanto natural, pero Blake podía hacer que mi corazón diese un vuelco con una simple sonrisa y un par de tejanos desteñidos.

—¿Siempre vienes a trabajar en camiseta? —le pregunté, pasando por alto la insinuación.

—Normalmente sí —se encogió de hombros.

—Pero te pones traje para ir a los casinos.

—Allí no estoy trabajando.

—Tu vara de medir el vestuario parece estar un poco distorsionada.

Intenté leer mis notas, aunque había perdido la concentración. La imagen de Blake con el traje gris apoyado en la puerta de mi habitación nublaba mis pensamientos.

«Debería ponerse traje *más a menudo*». «No, no debería».

Sacudí la cabeza mientras volvía a concentrarme en mis notas, agradeciendo que Blake no pudiese leer mis pensamientos.

—Si viniese a trabajar con traje de chaqueta habría un motín. Después de todo, tengo una reputación que mantener.

A Sid no lo pillarían ni muerto con un traje de chaqueta, de modo que debía tener razón.

Pasamos el resto de la tarde en su despacho y mejoré la presentación mientras él tecleaba furiosamente frente a su ordenador, haciendo magia entre los tres monitores.

Había hecho muchos progresos y estaba convencida de poder responder a cualquier pregunta de Max en nuestra próxima reunión, y despejar las dudas que hubiera dejado en mi primera presentación.

Había cerrado el portátil y estaba levantándome con intención de despedirme cuando Blake se volvió en la silla.

—¿Cuál es el plan para esta noche? —preguntó.

Me miraba con una sonrisa de lobo que parecía de todo menos inocente.

—No soy tu chef personal. Lo sabes, ¿no?

—Tal vez podríamos negociar —se levantó para apoyarse en la mesa, mirándome a los ojos—. ¿Qué puedo hacer por ti?

Su voz ronca me hizo temblar. ¿Por qué tenía que ser tan sexy? Tal vez podríamos saltarnos la cena e ir directamente al postre. Una *mousse* de chocolate sonaba bien. Se me ocurrió que podría lamer la *mousse* directamente de sus abdominales, duros como piedras, chupar cada delicioso pliegue… hasta abajo.

«Ay, Dios».

Me pasé la lengua por los labios resecos. No había pasado tiempo suficiente adorando su cuerpo la primera y última vez que lo había tenido desnudo a mi lado.

—¿Se te ocurre algo, Erica? —Blake se apartó de la mesa para acercarse un poco más.

Había llegado al límite del tiempo que podía pasar a salvo a solas con él. Su proximidad era tan potente como una droga y me mordí los labios para no imaginarlo como un fabuloso postre.

«Cálmate, Erica».

Salí de mi ensoñación y me enderecé, intentando sonreír.

—¿Has traído tu cochazo?

—Sí, claro. Y no, no puedes conducirlo, lo siento —bromeó Blake.

—Necesito comprar algunas cosas para el apartamento. Si me llevas, esta noche te haré pollo a la parmesana.

—Estoy listo cuando tú digas.

Estuvimos una hora en un centro comercial, llenando el carrito con utensilios para la cocina, toallas y sábanas. Elegí el juego de sábanas más barato que encontré en un color que me gustaba, pero Blake, sin decir nada, volvió a colocarlo en el estante y tomó uno de cuatrocientos hilos que costaba tres veces más.

—No soy rica —le advertí.

Él esbozó una sonrisa.

—Lo pagaré yo y prometo que luego me darás las gracias.

Tuve que disimular el calor que recorría todo mi cuerpo por lo que implicaba esa promesa. Aun así, decidí no discutir ya que tenía que llevarme a casa en su coche.

Cuando por fin nos dirigimos a la caja estaba tan ocupada organizando bolsas en el carrito que no vi que Blake le daba su tarjeta a la cajera hasta que fue demasiado tarde.

—¿Pero qué haces? —protesté.

—Digamos que es un regalo para inaugurar tu apartamento.

—No, de eso nada. No digas tonterías.

—Es lo mínimo que puedo hacer. Prácticamente te he forzado a vivir pegada a mí.

—Debajo de ti —lo corregí.

—Así es como me gusta —murmuró, sus ojos oscureciéndose.

Esas palabras, y el tono en que las había pronunciado, me dejaron boquiabierta y ardiendo de la cabeza a los pies. Hasta me temblaban un poco las manos mientras guardaba el recibo en el bolso.

Blake insistió en que esperase en el interior del coche mientras él guardaba las bolsas en el maletero y volvimos al apartamento en relativo silencio.

Miraba el monitor LCD, recordando la llamada que había recibido la última vez que estuve en el coche con él.

—¿Quién es Sophia? —le pregunté, fingiendo desinterés mientras miraba por la ventanilla.

—Es la propietaria de una empresa en la que he invertido —respondió él—. ¿Por qué lo preguntas?

—Simple curiosidad —me encogí de hombros.

Hasta ese momento Blake no había mentido descaradamente sobre nada, aunque tenía por costumbre hacer lo que le daba la gana. Por ahora, decidí creerlo y dejar de pensar en ello.

Cuando llegamos al edificio Blake no me dejó tomar las bolsas, insistiendo en que podía hacerlo solo. Ascendió los escalones de dos en dos, cargado con diez bolsas en cada mano mientras yo me apresuraba a abrir la puerta.

Cuando habíamos empezado a colocar las cosas, Sid hizo su aparición y Blake dejó de hacer lo que estaba haciendo, doblar toallas. Lo estaba haciendo fatal, pero no tenía valor para decírselo.

—Blake, te presento a Sid. ¿Recuerdas que te hable de Sid Kumar, el diseñador de la página?

Blake se relajó visiblemente y la tensión en su rostro desapareció. Qué manía de reclamar sus derechos, como si fuera mi dueño. Sid se alteraba fácilmente y lo último que necesitaba era que Blake lo hiciese sentir incómodo el primer día.

—Sí, claro —respondió, acercándose a mi socio para estrechar su mano—. Encantado de conocerte.

Sid era más alto que él, pero sus brazos eran la mitad del diámetro de los de Blake. Los dos hombres no podían ser más diferentes en aspecto físico y temperamento.

—Lo mismo digo. ¿Y tú eres…?

—El vecino de Erica —respondió Blake.

Experimenté una punzada de desilusión. ¿Que había esperado que dijese?

—Entonces, también eres mi vecino. —Sid dejó caer la enorme mochila.

El gesto tenso de Blake hizo que cuestionase mi plan.

—Genial —murmuró.

Me acerqué a toda prisa, esperando poder neutralizar la situación en la que Sid, sin saberlo, se había metido.

—Sid va a alojarse aquí hasta que tengamos claro si habrá financiación. El campus cierra esta semana.

—Ya —asintió Blake.

Más tarde le hablaría a Sid de la relación de Blake con Angelcom. Mientras tanto, tenía una cocina que organizar, un pollo que preparar y una torpe cena de la que debía ser anfitriona.

Le enseñe a Sid su habitación, en la que solo había un colchón hinchable y sábanas viejas, pero tendría que valer hasta que tuviéramos muebles de verdad. A él no pareció importarle demasiado, de modo que volví a la cocina y empecé a preparar la cena.

De repente, Blake se colocó tras de mí y me tomó por la cintura.

—No me habías hablado de tu compañero de piso. —Su tono era bajo, ronco, y mi corazón empezó a latir más deprisa.

¿Estaba enfadado? No lo sabía, pero me sentía como una niña a punto de recibir una reprimenda.

Invitar a Sid a compartir el apartamento había sido una decisión impulsiva, desde luego. Sabía que mi socio vivía sobre una pila de latas y envoltorios de galletas y me preocupaba un poco. Pero, en realidad, no estaba lista para vivir sola y su presencia en el apartamento podría servir para detener los avances de Blake, aunque en aquel momento no estaba sirviendo de nada.

Tragué saliva antes de responder:

—Tú tampoco has sido sincero del todo conmigo. No sé qué esperabas.

—Es una complicación, pero supongo que ya lo solucionaremos.

—Ah, vaya.

—Tendremos que pasar más tiempo en mi apartamento, eso es todo.

De repente, me empujó hacia atrás y se colocó entre mis piernas, apretándose contra mí. Sorprendida, y sin aliento, me agarré al borde de la encimera mientras me daba un abrasador beso en el cuello.

Se me escapó un suspiro cuando mordió el lóbulo de mi oreja y, cerrando los ojos, intenté recordar las razones por las que no debería dejarme llevar.

Con Blake había una línea divisoria. Por un lado lo deseaba desesperadamente, pero no era capaz de reunir fuerza de voluntad para rechazarlo. En aquel momento estábamos al otro lado de esa línea divisoria, donde estaba completamente a su merced, impotente contra su determinación de hacerme suya.

Metió las manos bajo mi blusa y acarició la piel desnuda de mi espalda, el contacto me puso en órbita. Mis pezones se levantaron, rozando su torso cuando me arqueé hacia él.

—Te necesito, Erica. Esta noche —musitó, empujando la evidencia de su deseo hacia mí.

Se apoderó de mi boca ante de que yo pudiese decir una palabra, destruyendo cualquier remota posibilidad de rechazarlo. Me besaba con fuerza, con pasión, chupando y lamiendo con una urgencia a juego con la mía.

Por fin, solté la encimera y pasé los dedos por su pelo, acercándome un poco más. Cuando se apartó un poco para tomar aliento lo abracé con fuerza.

Allí estábamos, las manos de Blake subiendo por debajo de mi falda, los dos ardiendo cuando Sid salió del dormitorio y se detuvo abruptamente en el salón.

Me quedé inmóvil, petrificada al ser pillada en el acto.

De espaldas a Sid, Blake se apartó lentamente esbozando una sonrisa, haciéndome saber que nuestro pequeño espectáculo estaba planeado. Sin decir nada, se ajustó el pantalón antes de dar media vuelta para ocuparse de algo en la isla.

Alterada por mi deseo y por la dominante actitud de Blake, canalicé todas esas emociones en la preparacion de la comida, sin responder cuando preguntó si podía ayudarme.

Estaba claro que aquello era un juego para él, pero empezaba a cansarme. Lo único que podía hacer era ignorarlo, no darle lo que ambos queríamos, aunque la frustración sexual estaba a punto de hacerme explotar. Si pudiese controlar eso, quizá Blake descubriría que conmigo no podía jugar.

De alguna forma, no sé cómo, logramos cenar. Yo comí sobre la encimera, Sid y Blake devoraron el pollo parmesano que me había enseñado a hacer mi madre sobre la barra americana.

Necesitábamos muebles. Comprar muebles que hicieran justicia a aquel bonito apartamento con un presupuesto tan pequeño sería difícil, pero no imposible. Decidí ir de compras después de finalizar mis notas de presentación por la mañana.

Ahora más que nunca necesitaba sentirme como en casa, en un sitio seguro. Pero el apartamento estaba vacío y me parecía extraño. Entre eso, que Alli estaba lejos y que Blake había decidido poner mi mundo patas arriba, sentía como si estuviera agarrándome con uñas y dientes a una semblanza de normalidad.

Blake debió notar mi reserva porque se despidió cuando terminamos de limpiar. Lo acompañé a la puerta y Sid desapareció discretamente.

—¿Estás bien?

Sus ojos, poco tiempo atrás nublados de deseo, estaban ahora cargados de preocupación.

—Sí, un poco cansada. Ha sido un día muy largo.

Solo era verdad a medias, pero no tenía energía para contárselo o discutir con él.

—¿Quieres que te lleve mañana a la oficina?

—No, gracias. Tengo muchas cosas que hacer a primera hora.

Cuando se inclinó para darme un beso giré la cabeza y escapé de sus labios de milagro. Pero cerré los ojos. Por mucho que quisiera hacerme la fuerte, temía su mirada. Cuando los abrí, había desaparecido escaleras arriba.

Cerré la puerta y me apoyé en ella, enterrando la cara entre las manos. ¿Cómo diantres me había metido en aquel lío?

9

Pasé la mañana buscando una cama en Internet, pensando que tarde o temprano regalaría mi futón a Sid. También encargué una mesa para el comedor con sillas a juego, y algunas otras cosas que me enviarían a casa por un módico precio. En los anuncios clasificados encontré un sofa usado en buen estado que alguien podia entregarme a domicilio por unos dolares extras. Sid ya había llevado su televisión y su consola de videojuegos, que por el momento estaban en el suelo del salón.

Aquel apartamento podría ser lo más parecido a un verdadero hogar que había tenido desde que mi madre murió. Por supuesto, iba a compartirlo con Sid, pero a saber cuánto duraría eso.

Me aferraba a la idea de que aquel era mi hogar, y esa palabra adquiría un gran significado en este nuevo capítulo de mi vida lleno de tantos espacios en blanco.

Durante los últimos cuatro años, más incluso, lo había tenido todo cuidadosamente planeado, pero ahora no sabía qué esperar de mi futuro. Solo podía guiarme por la intuición. Desgraciadamente, Blake la estaba haciendo trizas con sus besos. No había esperado conocer a un hombre como él, que afectaba a mi vida de tal modo.

Incapaz de concentrarme en el trabajo, cerré el portátil. Necesitaba aire fresco. Había estado encerrada casi todo el día, de modo que salí del edificio y caminé durante un rato hasta que terminó el paseo peatonal. Allí me dejé caer sobre un banco. Hacía buen día, un poco fresco para ir a la playa, pero perfecto para estar al aire libre.

Con el sol calentando mi cara, decidí llamar a Alli, a quien echaba de menos.

—¿Hola? —respondió mi amiga con voz ronca.

—¿Estás bien? Tienes la voz ronca.

—Estoy bien, es que me acosté tarde.

—¿Quiénes son esos amigos con los que te alojas? —le pregunté, preocupada.

—Estaba con Heath.

—Ah.

—¿Qué quieres que diga? Organiza fiestas como si fuera una estrella del rock. —Alli soltó una risita.

—¿Un jueves por la noche? ¿Cuándo empiezas a trabajar?

—El lunes. Y deja de preocuparte por mí, solo estamos pasándolo bien. Además, estoy conociendo a mucha gente, haciendo contactos para todos nosotros.

—Muy bien.

¿Muy bien? ¿Qué contactos profesionales podía hacer durante una fiesta un jueves por la noche?

—Bueno, ¿qué tal te van las cosas?

—Muy bien. El apartamento es genial.

—Jo, qué envidia. Aquí los apartamentos son carísimos y diminutos. Es como si estuviera intentando alquilar un armario.

—Anímate, yo podría terminar igual que tú dentro de unos meses. He invitado a Sid a compartir el apartamento conmigo y ya ha empezado su nueva colección de latas.

—Qué horror. Bueno, entonces ya no tengo envidia. —Alli soltó una carcajada—. Con un poco de suerte yo no tendré que compartir mi armario. Bueno, dime, ¿qué sabes de Blake?

Le conté cómo me había embaucado para que alquilase el apartamento y no la sorprendió tanto como esperaba. Tal vez Heath le había contado que su hermano tenía por costumbre controlar todo lo que le rodeaba.

Por suerte, no me preguntó si seguía pensando que lo nuestro era cosa de una noche porque aún no lo tenía claro.

—¿Cuándo vendrás a verme?

—Imagino que cuando las dos estemos instaladas. Ya veremos cómo van las cosas con Max, pero supongo que podré ir a visitarte después de la reunión.

Alli empezó a hablar de los sitios divertidos que había descubierto en Nueva York, pero en medio de la conversación recibí una llamada de Blake y prometí llamarla más tarde para que siguiera contándome.

—Dime, Blake.

—Oye, tu página se ha caído hace unos minutos.

Se me encogió el estómago.

—¿Qué? ¿Cómo lo sabes?

La página se había caído otras veces y nunca era una buena noticia, pero necesitaba que todo fuese perfecto para mi reunión con Max al día siguiente.

—He creado un programa que me avisa si la página se cae.

—¿Por qué?

—Erica, ¿podemos concentrarnos en lo importante? —Blake parecía más irritado que yo, considerando que hablábamos de mi página—. ¿Puedes decirle a Sid que se ponga?

No me gustaba que me hiciese a un lado, pero aquel no era mi departamento.

—Ahora mismo estoy en la calle, pero llegaré a casa en cinco minutos.

—Dame su número, yo lo llamaré.

—No te molestes, te llamaré enseguida.

De vuelta en el apartamento, llamé suavemente a la puerta de la habitación de Sid y luego con más fuerza cuando no respondió. Nunca se levantaba tan temprano, de modo que al final tuve que entrar, decidida a despertarlo del coma.

Estaba vestido e inconsciente, boca abajo sobre el colchón hinchable.

—¡Sid! —grité, rompiendo el silencio de una tranquila y silenciosa mañana.

Él gimió mientras se daba la vuelta.

—¿Qué?

—Se ha caído la página.

—Ah —murmuró, sin moverse.

—Ha llamado Blake, quiere hablar contigo.

—Necesito cafeína —murmuró.

Solté un bufido porque no estaba de humor para las rutinas matinales de Sid.

—Volveré con una bebida energética. Levántate y soluciona el problema, por favor —dejé el teléfono sobre su escritorio, con el número de Blake en la pantalla, y bajé a la calle para buscar la tienda más cercana.

Volví unos minutos después y encontré a Sid mirando la pantalla de su ordenador con el entrecejo fruncido, analizando lo que, por pasadas experiencias, parecía el registro del servidor web, que tenía respuestas sobre la actividad de la página que yo no sabía cómo interpretar.

Escuché el repiqueteo de un teclado en mi teléfono, que estaba puesto en altavoz.

—Están atacando el sitio y bombardeando el servidor con solicitudes para que el administrador nos cierre —dijo Sid.

—Parece que son *script kiddies* —escuché la voz de Blake.

—¿Qué son *script kiddies*? —pregunté, casi en un susurro para no quedar como una tonta. En cualquier caso, necesitaba saberlo.

—*Hackers* aficionados que no tiene nada mejor que hacer —respondió Sid.

—Ah.

¿Comparados con los *hackers* profesionales? En mi opinión, un *hacker* era un *hacker*. Un enemigo que amenazaba mi negocio. Pero, con un poco de suerte, Sid y Blake podrían elaborar pronto un plan de defensa.

—¿Tienes un sistema doble de servidores? —preguntó Blake.

—Por supuesto —respondió Sid.

—Ponlo en marcha y vamos a ver lo persistentes que son. ¿Puedes darme acceso al servidor?

Sid me miró y asentí con la cabeza.

—Te lo envío ahora mismo.

—Puedo crear un bloqueador de IP si quieres eliminar amenazas —dijo Blake.

—Suena bien.

—¿Tengo que llamar al administrador? —le pregunté a Sid en voz baja.

—No, voy a reiniciar el servidor y en unos minutos estaremos en línea.

Tomé aire.

—¿Me necesitas para algo?

Sid miró la bolsa de latas que llevaba en la mano. Saqué una para él y guardé las demás en la nevera, sintiéndome un poco inútil.

Coloqué mi portátil sobre la isla y refresqué la página repetidamente hasta que volvió a cargarse, mientras Blake y Sid seguían con su ininteligible conversación en la otra habitación.

Que alguien hubiera *hackeado* la página me preocupaba, especialmente porque esperaba finalizar el trato con Max en cuestión de semanas.

Blake y Sid no parecían excesivamente preocupados por la amenaza, pero yo tenía un mal presagio. ¿Por qué nos habían atacado de repente? ¿Quién odiaba tanto la moda como para intentar hacernos desaparecer de la Red? Una vez que hubiera solucionado el problema, esperaba que Sid me diese más respuestas.

Pasé el resto del día monitorizando la página y comprobando los parches que Sid aplicaba al programa mientras él los iba creando.

Comimos sobras de la noche anterior y revisamos estadísticas para tener referencias durante la reunión del día siguiente.

Se hizo de noche y no había vuelto a saber nada de Blake, pero esperaba que bajase a cenar. Al fin y al cabo, nos habíamos visto todos los días desde que me mudé al apartamento y parecía estar enganchado a mi comida italiana.

Me asomé a la ventana por si veía su coche y, al no verlo, pensé enviarle un mensaje, ¿pero qué podía decir? Lo echaba de menos, pero no quería que lo supiera.

Llegué a las oficinas de Angelcom unos minutos antes de la hora prevista para la reunión. Entré en la zona de recepción y la misma morena gordita de la última vez me saludó con una tensa sonrisa mientras me acompañaba por el pasillo hasta el despacho de Max que, como la sala de juntas, tenía una pared de cristal con una hermosa vista del puerto y el horizonte de la ciudad.

Con un impecable traje de chaqueta, Max estaba examinando unos documentos sobre su escritorio, pero al verme se levantó para estrechar mi mano y darme un beso en la mejilla.

—Estás guapísima.

—Gracias.

No sabía qué otra cosa podía decir y, un poco nerviosa, me atusé el pelo, sujeto en un moño. Me sorprendía ese trato tan cariñoso, pero no iba a protestar.

Max señaló una mesa redonda a un lado del despacho y, una vez sentados, empezó a hacerme preguntas, algunas que esperaba gracias a Blake. Respondí con firmeza, pintando una imagen positiva y, con un poco de suerte, atractiva del proyecto. Después de una hora de charla, Max hizo una pausa para mirarme.

—¿Qué? —pregunté, con el estómago encogido.

¿La reunión había terminado?

—Estoy impresionado, Erica. Parece que lo tienes todo bien atado. La verdad es que no se me ocurre nada más.

Jugué con el bolígrafo, nerviosa. Quizá sería mejor hablarle sobre el papel de Blake para que no lo averiguase más tarde por boca de otro.

—Blake me ha ayudado mucho. Ha repasado todas estas cifras conmigo, así que el mérito no es del todo mío.

Él me miró, en silencio.

—¿Ah, sí?

—Ahora entiendo que sus negocios vayan viento en popa. Es muy concienzudo.

Noté que Max fruncía el ceño.

—No es tan perfecto como tú pareces pensar.

—Bueno, nadie es perfecto.

—Desde luego, pero Blake tiene suerte de no estar pudriéndose en la cárcel ahora mismo. Todos los éxitos que ha tenido se los debe a las oportunidades que le dio mi padre y debería recordarlo.

Eso me pilló por sorpresa. ¿Qué delito podría haber llevado a Blake a la cárcel? No podía preguntarle directamente, pero estaba claro que había algún problema entre los dos hombres y Blake, como era de esperar, no me había contado nada, a pesar de las innumerables conversaciones que habíamos mantenido sobre Max y Angelcom.

Siempre había pensado que Max y el eran colegas. ¿Por qué esa mala sangre entre los dos? ¿Por qué estaban en el consejo de administración de la misma empresa si no se llevaban bien?

—En cualquier caso, ha perdido su oportunidad con Clozpin —dijo luego, volviendo a ser el Max tranquilo y encantador.

La transformación me produjo una sensación inquietante, pero intenté no pensar demasiado en ello.

—Eso es verdad —asentí.

Desde luego, me sentía desconcertada por el interés de Blake, no solo en mí sino en mi empresa, especialmente después de su dramática negativa a invertir en Clozpin.

—Tú y yo vamos a hacer que esto salga bien —dijo Max abruptamente—. Creo que tu idea tiene mucho potencial y me gustaría formar parte del proyecto.

La bola de nervios se convirtió en un suspiro de alivio y felicidad.

—Maravilloso. ¿Qué tenemos que hacer ahora?

—Ahora debo encargarme del papeleo. Hay asuntos legales que debemos solucionar, pero creo que tendré el documento de términos y condiciones preparado para revisarlo en una semana o dos. Con un poco de suerte, podremos levantar esto rápidamente. Si tardásemos más, podría traspasar fondos a la cuenta de la empresa para que no estuvierais sin liquidez.

—Eso suena fantástico. En fin, ya me dirás lo que tengo que hacer.

Después de despedirnos con un apretón de manos salí del edificio queriendo gritar la buena noticia desde los tejados de la ciudad. ¡Lo habíamos conseguido! Todo el trabajo, el estrés y la habilidad para hacer mil cosas a la vez habían dado resultado. Ser capaces de estudiar, ir a clase y crear Clozpin había sido poco menos que un milagro.

Saqué el móvil y miré la lista de contactos, intentando decidir a quién quería llamar primero.

Un nombre destacaba entre los demás. Había sido un poco dura con Blake, ¿pero esto habría sido posible sin su ayuda? Lo llamé, pero saltó el buzón de voz.

—Hola, Blake. Solo quería que fueses el primero en saber que Max quiere seguir adelante con el trato. Va a encargarse del papeleo a partir de la semana que viene, así que… en fin, buenas noticias. Gracias por todo.

Corté la comunicación y llamé a Alli, pero la llamada también fue directamente al buzón de voz. Miré mi reloj. Eran casi las once y empezaba a pensar que Heath no era una buena influencia para mi amiga. Había algo raro en él, pero tendría que conocerlo mejor antes de juzgarlo. Mientras tanto, buscaría la forma de ir a Nueva York a visitarla lo antes posible.

Cambié mis zapatos de tacón por unos planos y volví a casa andando para hacer algo de ejercicio y aprovechar la agradable y soleada mañana.

Por fin había llegado el verano.

El apartamento estuvo silencioso durante toda la mañana siguiente. Tal vez la convivencia con Sid podría resultar conveniente después de todo. Nuestros horarios eran diferentes y la mayoría del tiempo tenía la sensación de vivir sola.

Perfilé un organigrama de los puestos que podríamos tener que cubrir en los próximos seis meses, aunque la prioridad era un director de marketing. Salir de mi caparazón para hacer contactos era importante y algo que pensaba hacer, pero también necesitaba dirigir la página y comprobar todas las operaciones. No podía ser responsable de controlar todas las cuentas de pago, vigilar las finanzas, el mantenimiento y ahora informar a Max sobre nuestros periódicos progresos.

Perder a Alli como parte del equipo era un grave revés, pero había cientos de profesionales esperando una oportunidad como aquella, así que me puse a trabajar.

Estaba perfilando papeles y responsabilidades cuando Blake me envió un mensaje de texto.

Enhorabuena. Lo celebraremos esta noche en Top of The Hub. Iré a buscarte a las 7.

El mensaje me dejó perpleja. ¿Por qué no había llamado? Por alguna razón se mostraba distante, pero al parecer seguía de humor para celebrarlo en uno de los mejores restaurantes de la ciudad. Sin embargo, no haber escuchado su voz hacía que me preocupase un poco.

¿El beso de buenas noches le habría parecido mal? ¿Pensaría que era una coqueta porque me derretía cuando estaba con él y luego me apartaba?

Nos vemos a las siete, respondí.

De inmediato, pasé de pensar en las cualidades del director de marketing ideal a qué me pondría esa noche. Menuda ironía que Blake hubiese dado a entender que salir con alguien podría ser una distracción cuando precisamente él se había convertido en esa distracción. Inspeccioné mi armario buscando algo que ponerme, pero terminé con las manos vacías. Echaba de menos el estilazo de Alli y su amplio vestuario, pero como ella no estaba disponible llamé a Marie.

—¡Socorro! —grité, riendo.

—¿Qué ocurre, cariño?

—He conseguido los fondos y esta noche voy a salir a celebrarlo.

—Lo sabía. ¡Enhorabuena!

—¡Pero no tengo nada que ponerme!

Marie soltó una carcajada.

—Ese es un problema que podemos solucionar. ¿Quieres que comamos juntas antes de ir de compras?

—Desde luego que sí. Gracias.

Después de tantos días con tecnoadictos y hombres trajeados necesitaba la compañía de una mujer.

Un par de horas después estábamos sentadas en *The Vine*, un restaurante al aire libre de estilo mediterráneo en el primer piso de un edificio clásico en la calle Newbury, una de las zonas más caras de la ciudad, a unas manzanas de mi nuevo apartamento.

Mientras nos poníamos al día, tomamos té helado y compartimos un plato de calamares.

—¿Con quién has quedado esta noche? —me preguntó Marie.

Carraspeé, pensando cómo hacer un resumen de todo lo que había pasado con Blake.

—No sé si te acordarás del hombre con el que choqué en el restaurante la última vez que cenamos juntas.

Sentí un cosquilleo en el estómago al recordar mi primer encuentro con Blake.

Marie me miró, sorprendida.

—Lo dirás de broma.

—No, no es una broma. Es el director ejecutivo del grupo inversor Angelcom, que va a aportar los fondos para mi empresa.

Por supuesto, me salté la seducción en Las Vegas y las jugarretas de Blake para que me instalase en su edificio. Marie no era mi madre, pero a veces podía ser muy protectora.

—Vaya, entonces es tu tipo.

—No, para nada. No está a mi alcance. De hecho, casi me intimida.

—Un hombre tan ocupado no pasaría tiempo contigo si pensara que no tenéis nada en común.

Suspiré. Ojalá supiera lo que pensaba Blake, pero estaba demasiado ocupada solucionando los problemas de Clozpin como para darle más vueltas al asunto.

—No, imagino que no. Todo ha ocurrido muy rápido y no sé qué pensar —murmuré antes de probar la ensalada—. Si quieres que sea sincera, no sé qué estoy haciendo.

—Así es el amor, cariño. —Marie esbozó una sonrisa.

¿Amor? Solo ella, una romántica empedernida, podría pensar eso. Blake era una estupenda distracción, pero lo que había entre nosotros no tenía nada que ver con el amor.

—No sé si estamos ahí o si lo estaremos alguna vez.

Ella inclinó a un lado la cabeza.

—Nunca se sabe. El amor puede aparecer de repente, incluso cuando no lo estás buscando.

Asentí con una sonrisa nerviosa.

—Sí, supongo que sí. Bueno, cuéntame qué tal con Richard.

El esbozo de sonrisa se transformó en una sonrisa abierta mientras me contaba los detalles de su última cita. Me arrellené en el asiento, intentando prestar atención, pero solo podía pensar en esa palabra de cuatro letras. Aunque no había sitio en mi vida para el amor en aquel momento.

10

Fingí trabajar durante el resto de la tarde, pero en realidad estaba contando los minutos que faltaban para ver a Blake.

Quería celebrar el trato con Max, pero había echado de menos a Blake últimamente y, además, sabía que ese logro era en gran parte gracias a su apoyo. Aunque ese apoyo incluyera una tensión sexual que aún intentaba entender, en cualquier caso le estaba muy agradecida.

Cuando se acercó la hora, cerré el ordenador y me puse el carísimo y sexy vestido de cóctel que Marie me había ayudado a elegir. Negro, con una banda blanca en el bajo drapeado estilo tulipán, el vestido era elegante, pero fresco, perfecto para un día caluroso, con tirantes finos y ligeras capas de seda. Completé el conjunto con unas sandalias de tacón y unos pendientes largos de plata y me sujeté el pelo en un moño suelto.

Ya veríamos lo que Blake tenía que decir al respecto, pensé, mientras me retocaba la sombra de ojos de tono gris. Con o sin él, me sentía feliz y quería estar guapa esa noche. Alli estaría orgullosa de mí.

Sid estaba buscando algo en la nevera cuando salí del dormitorio, mis tacones repiqueteando sobre el suelo de madera.

Me detuve frente a la barra americana para esperar a Blake y mi socio se volvió, mirándome con los ojos como platos.

—¿Qué? —exclamé, pensando que quizá no estaba tan guapa como había creído.

—Pues… —parpadeó varias veces—. Nada, que estás muy bien.

Sonriendo, desapareció en su dormitorio unos segundos antes de que Blake llamase a la puerta… para entrar un segundo después sin más preámbulos.

Pero se detuvo cuando rodeé la barra para saludarlo. Llevaba el mismo traje gris oscuro que había llevado en Las Vegas, con una camisa blanca recién planchada, la incipiente barba contrarrestando la formalidad del atuendo.

Estaba guapísimo, maldición.

Me acerqué, intentando mantener el equilibrio sobre los tacones y saboreando el brillo de pura admiración carnal en sus ojos.

—Hola.

—Me estás matando con ese vestido.

Me mordí los labios. Nunca sabía lo que podría hacer cuando estábamos solos. Con un roce ligero como una pluma, trazó una línea desde mi mejilla al mentón con el dedo, levantando mi cara para darme un beso lento y dulce que me dejó sin aliento.

Entramos en el abarrotado restaurante y el maître nos escoltó de inmediato hasta una mesa para dos separada del resto de la sala por una pared con una selección de vinos.

A través de los enormes ventanales se veía toda la ciudad de Boston. Debajo, docenas de diminutas velas blancas salpicaban el río Charles, los últimos rayos del sol reflejándose en su camino serpenteante a través de la ciudad.

—Sabes cuánto me gusta una bonita vista —murmuré.

Me encantaba que aquel día perfecto terminase allí y estoy segura de que se notaba.

—Sí, lo sé. Y como ahora también sé que eres una gourmet, dejaré que pidas por los dos.

—Ah, qué sorpresa.

—Aquí todo es increíble, así que no puedes equivocarte.

—No lo dudo —murmuré mientras echaba un vistazo a la carta.

Cuando llegó el camarero pedí *confit* de pato para él y merluza para mí.

—¿Te resulta difícil no llevar el control de todo lo que te rodea? —le pregunté cuando volvimos a estar solos.

Él hizo una pausa.

—Sí, pero lo he estado intentando en pequeñas dosis últimamente.

—¿Y qué tal te va?

—Pues… no siempre es fácil.

—Yo creo que podría ser liberador. A veces está bien relajarse un poco, ser capaz de dejar que otra persona lleve el control. Aunque solo sea durante un rato.

—Puedes dejar que yo lleve el control cuando te parezca —se mordió el labio inferior con ese gesto tan suyo antes de esbozar una picarona sonrisa.

Guiñé los ojos, juguetona, pero sintiendo un escalofrío. Estaba disfrutando de aquel calentón oral más de lo que esperaba, pero tenía que alejar la conversación del tema del sexo porque Blake podía hacer que mi cerebro pasara de cero a sucio en dos segundos con unas simples palabras.

—Últimamente se te ve poco. ¿Mucho trabajo?

Sus ojos se clavaron en los míos.

—Solucionando problemas en la oficina.

—No me has preguntado por mi reunión con Max.

—¿Para qué? Sabía que Max iba a invertir en tu proyecto desde el momento que te vi en la sala de juntas.

Ojalá lo hubiera sabido yo, aunque solo fuera para ahorrarme estrés y ansiedad.

—¿Cómo lo sabías?

—Para empezar, porque eres preciosa.

El cumplido me hizo sonreír, aunque viniendo de alguien que era la perfección física en persona, no resultaba fácil creerlo.

—No sé qué tiene eso que ver —jugué con mi servilleta, un poco nerviosa.

—El aspecto físico puede ser determinante, sobre todo para un hombre como Max. Además, tenías un buen concepto.

Fruncí el ceño, desconcertada por su buena opinión esa noche en contraste con el brutal interrogatorio en la reunión.

—Si pensabas que tenía un buen concepto, no entiendo por qué quisiste humillarme.

Había empezado a conocer a Blake un poco más en esas semanas, pero la angustia que sentí aquel primer día no era fácil de olvidar; su rotundo rechazo estaba grabado en mi memoria.

—Quería ver cómo reaccionabas bajo presión. Además, ¿de qué otro modo habría averiguado si salías con alguien? Era una forma de matar dos pájaros de un tiro.

Después de decirlo se encogió de hombros, como si fuese lo más normal del mundo. Como si no fuera nada.

Y para él probablemente no lo era. Para mí, sin embargo, era un evento que cambiaría mi vida, la culminación de muchos meses de duro trabajo. Y si íbamos a seguir adelante, quería una explicación.

—Trabajé mucho para conseguir esa reunión con tu grupo y tú me faltaste al respeto. Y si Max no hubiese pedido una segunda reunión por tu culpa estaría desolada.

Aparté la mirada, temiendo que se me pasara el enfado cuando de verdad quería que supiera que aquel día había sido un gilipollas. Me había guardado eso para mí durante varias semanas y, de repente, me sentía avergonzada por haberme acostado con Blake antes de echarle en cara su comportamiento. No era precisamente un baluarte del feminismo, pero me enorgullecía de lo que había conseguido siendo tan joven, qué demonios.

—Tienes razón —asintió, en voz baja.

La furia dio paso a la sorpresa ante esa admisión.

—¿Tengo razón?

—No merecías eso —respondió Blake.

La seriedad de sus ojos me desarmaba, pero mientras intentaba procesar esa media disculpa el camarero llegó con los platos y comimos en silencio durante unos segundos.

—Max parecía disgustado porque me habías ayudado…

De repente, Blake puso las manos sobre la mesa con suficiente fuerza como para que diese un respingo.

—¿Le has dicho que te he ayudado?

Lo miré, perpleja.

—Pensé que se enteraría tarde o temprano. Creí que erais amigos.

—Somos colegas, Erica, no amigos.

Clavó el tenedor en el pato agresivamente y cortó un pedazo antes de llevárselo a la boca.

—¿Cómo conociste a su padre?

Él enarcó una ceja en un gesto de impaciencia y empecé a pensar que estaba arruinando mi día perfecto, pero ya había sacado el tema y no podía echarme atrás.

—Blake, tú sabes muchas cosas sobre mí y, sin embargo, yo no sé nada sobre ti. Cuéntame algo, cualquier cosa.

Dejé escapar un suspiro de frustración. No me gustaba nada esa desigualdad.

Noté que apretaba el mentón mientras seguía comiendo. Mi apetito había desaparecido a pesar del delicioso filete de merluza que tenía delante, pero algo tan divino no debería desperdiciarse, de modo que probé el sazonado *couscous* alrededor del pescado.

—Cuando tenía quince años me metí en muchos líos —empezó a decir Blake por fin.

—¿Qué tipo de líos?

—Cosas de *hacker*.

—¿Pero qué clase de líos? —insistí.

—Eso no tiene importancia.

Me eché hacia atrás en la silla, haciendo un mohín.

—Michael, el padre de Max, quería diversificar sus negocios y empezó a invertir en software —siguió—. Conocía mi historia y me dio una oportunidad en el momento más difícil de mi vida. Fui capaz de crear el software de banca sin que él se entrometiese, como había que hacerlo. Evidentemente, fue algo bueno para los dos, duplicando su cartera de valores y haciendo que yo pudiera empezar a hacer lo que hago ahora.

—¿Y qué tiene que ver Max en todo eso?

—Max tiene unos cuantos años menos que yo. Vio que Michael invertía en mí, no solo profesionalmente sino como mentor y amigo, y eso le dolió. Cuando el software triunfó supo que nunca podría compararse conmigo y está resentido desde entonces.

—Ah.

—¿Contenta ahora, jefa? —preguntó, señalándome con su tenedor.

—Bueno, no me alegra saber eso en particular, pero sí que me lo hayas contado.

Recordé las dos reuniones en Angelcom, sabiendo ahora que Max estaba en constante competición con Blake, buscando cualquier oportunidad de aventajarlo. Estaba a punto de firmar un contrato con Max, pero empezaba a temer que mi relación con Blake pudiera convertirse en un problema. Claro que Max no sabría nada de nuestra relación si yo no se lo hubiera contado.

Cuando el camarero llevó la cuenta, Blake sacó una tarjeta de crédito antes de que yo pudiera abrir el bolso. Lo dejé pasar y me excusé para ir un momento al lavabo.

Cuando volví unos minutos después, Blake se había levantado de la mesa y esperaba frente a los ascensores con su habitual elegancia, las manos en los bolsillos del pantalón, su traje ajustándose en los sitios adecuados, recordándome el cuerpo de acero que había debajo.

Apenas podía concentrarme en nada más mientras pasaba frente al elegante bar lleno de clientes, pero un rostro entre la multitud llamó mi atención.

Me detuve de golpe, de repente consumida por un pánico que ahogaba el ruido del abarrotado local. Mi corazón latía desbocado y un dolor agudo, desde los pulmones a las yemas de los dedos, me dejó sin respiración.

Tuve que apoyarme en una pared, incapaz de poner un pie delante de otro mientras el hombre al que había reconocido giraba el rostro hacia mí, como si hubiese notado que lo miraba.

Con un traje de chaqueta de raya diplomática, tenía el mismo aspecto que cualquiera de los hombres que tomaban una copa en el bar después de un largo día de trabajo, pero yo sabía que no era así. Unos segundos después, esbozó una sonrisa de reconocimiento.

Me recordaba.

Después de tres años mirando por encima del hombro, sin saber cuándo podría encontrarme con él, había empezado a pensar que nunca lo haría. Sin nombre, era un fantasma, un recuerdo tan espantoso que durante años había intentado convencerme de que no había existido.

Y, sin embargo, allí estaba, la pesadilla en carne y hueso que había vuelto para perseguirme. Tontamente, pensé que mi conversación con Liz lo había conjurado.

Recordaba vagamente oír que Blake me llamaba antes de verlo a mi lado, tomándome del brazo para sacarme del trance. Cuando por fin pude concentrar la mirada en él, intenté en vano enmascarar el miedo que me paralizaba.

—¿Qué ocurre, Erica? —me preguntó con expresión preocupada.

—Nada —tomé su mano y tiré de él hacia los ascensores.

Después de más de un vano intento de hacerme hablar en el coche, Blake pareció darse por vencido.

Cuando entramos en su fresco apartamento fui directamente al bar para llenar hasta el borde un vaso con hielos y un líquido de color ámbar de una de las muchas botellas de su colección.

Me dejé caer en el sofá y apreté el frío vaso contra mi frente, intentando arrinconar los frenéticos pensamientos que daban vueltas en mi cabeza. Intentaba librarme de todos y cada uno de ellos, apartarlos donde ya no pareciesen parte de mi experiencia o, mejor aún, donde pudiese olvidarlos para siempre. Tomé un largo trago de licor para apresurar el proceso.

No debería estar allí, pero no podía estar sola en ese momento y Sid estaría durmiendo o trabajando. Necesitaba una poderosa distracción y Blake siempre era una ayuda en ese aspecto.

Se sentó sobre la mesa de café frente a mí, con mis piernas entre las suyas, acariciando mis rodillas, pero mi cuerpo estaba como dormido, incapaz de responder al básico deseo que Blake inspiraba en mí.

—Háblame, por favor —dijo en voz baja.

Yo miraba por encima de su hombro, sin decir nada. Compartir ese recuerdo con él me parecía imposible, pero una pequeña parte de mí quería tirar la barrera que mantenía mi pasado alejado del presente.

—No hay nada que decir.

En realidad, no sabría ni cómo empezar aunque quisiera hacerlo. Apenas podía contener la angustia que me atenazaba desde que salimos del restaurante.

—Eso no es verdad. Era como si hubieses presenciado un crimen.

—Estaba recordando uno.

Lamenté esas palabras en cuanto las pronuncié.

Y, de repente, experimenté otro tipo de miedo. Blake nunca volvería a mirarme del mismo modo. Sabría que alguien había obtenido placer de mí y que en mi estúpida e ingenua ignorancia, yo se lo había permitido.

En silencio, esperó que continuase.

Tomé el resto del licor de un trago, esperando que me tranquilizase. Si se lo contaba había dos posibles reacciones: o saldría corriendo o me haría saber que le importaba, aunque no podía imaginar por qué.

Pero si quería que hubiese alguna posibilidad de futuro para esta relación, Blake tenía que saberlo.

—Era el primer año de universidad —empecé a decir—. Había salido de fiesta con unas amigas y terminamos en una fraternidad llena de gente. Bailamos, bebimos demasiado ponche… yo no tenía costumbre de beber y después de la primera copa estaba borracha y me alejé del grupo. Un chico…

No terminé la frase, perdida en el amargo recuerdo que había intentado enterrar durante tanto tiempo.

¿Cómo podía explicar que entonces era tan ingenua como para seguir a un extraño hasta un bar que nunca encontramos, como una niña tentada por un caramelo? ¿Y que cuando lo convencí para volver a la fraternidad estaba tan borracha que apenas pude luchar contra él, mis gritos ahogados por el ruido de la fiesta que tenía lugar en el interior?

El hombre al que había visto esa noche en el restaurante era el que me había robado la inocencia, dejándome violada entre unos arbustos donde, por fin, Liz me encontró.

Tantos años reservándome para mi primer amor, o al menos para una noche de sexo consentido tras una borrachera, no habían servido para nada y la vergüenza hizo que guardase silencio.

—Intenté quitármelo de encima —susurré, sin poder controlar las lágrimas que rodaban por mi rostro.

Me temblaban las piernas por ese horrible recuerdo del pasado y por el temor de haber perdido el interés de Blake, porque ese sería un golpe insoportable.

Él apretó los labios mientras se echaba hacia atrás, pasándose las manos por el pelo. La momentánea separación me dolió; los sitios donde nuestra piel se había rozado ansiaban su regreso. Necesitaba ese contacto como una afirmación, quería confirmar que lo que sentía por mí no había cambiado... y se me encogía el estómago al pensarlo.

—¿Estás contento ahora? —Intenté reír, entre lágrimas—. Soy mercancía dañada...

—No digas eso —me interrumpió Blake con tono autoritario.

—¿Qué?

—No eres mercancía dañada, Erica.

Ojalá pudiese creerlo.

—Solo estoy diciendo la verdad. De todas formas, no entiendo que quieras estar con alguien como yo. Deberías salir con modelos o chicas de la alta sociedad, no con alguien que... —mi voz se rompió.

—No estoy interesado en salir con modelos.

—Pero eso no tiene sentido, ¿no te das cuenta? Yo soy... un desastre. Por favor, mírame.

—Lo hago frecuentemente. Me has estado volviendo loco durante semanas y apenas puedo pegar ojo por las noches.

—¿Y ahora?

—Ahora te tengo. Sin compañeros de piso, sin gente que nos moleste, pero tú estás buscando razones para asustarme. Si crees que eso cambia algo, estás muy equivocada.

Aparté la mirada, intentando contener unas lágrimas que no dejaban de rodar. Cuando me sentó sobre su regazo no protesté porque deseaba tenerlo cerca. No entendía cómo podía seguir deseándome, pero me envolvió en sus brazos, creando un capullo protector, hasta que dejé de llorar.

—Eres fabulosa —murmuró.

Suspiré sobre su hombro.

—¿Cómo puedes decir eso después de lo que te he contado?

—Porque es verdad. Erica, una horrible experiencia no te define como persona. Si fuera así, dudo que quisieras estar conmigo.

—Pero sí quiero.

Deslicé una mano por su camisa para sentir su corazón, que latía a un ritmo firme, lento. No sabía nada sobre su corazón, pero algo dentro de mí quería merecerlo. ¿Cómo sería tener no solo su deseo sino su amor?

De repente, mis sentimientos por Blake empezaron a imponerse sobre los dolorosos recuerdos que él me había arrancado unos minutos antes.

—Yo también quiero estar contigo, cariño —susurró, tomando mi mano para rozar mis dedos con los labios.

En ese momento, sentí como si hubiéramos estado juntos durante mucho más tiempo. Le había mostrado esa parte de mí y él seguía a mi lado a pesar de todo.

Me acariciaba despacio, reclamando cada centímetro de mi piel con una silenciosa ternura que era nueva para mí, curándome con sus manos y sus labios.

El dolor y el vacío dieron paso al alivio y luego, a un calor ya familiar que me recorría entera.

Eché la cabeza hacia atrás en un ruego silencioso. Necesitaba que me besase. De alguna forma, Blake había tirado todas las barreras, mis sentidos estaban abrumados por la acuciante necesidad de ser poseída por él. Su olor, su sabor y su primitiva ansia, lo necesitaba todo.

Sus labios se encontraron con los míos, tentativamente al principio, luego con más seguridad.

Exploré las profundidades de su boca enredando mi lengua con la suya, hambrienta de él, mientras Blake me besaba con la misma intensidad.

Tomándome por la cintura, me colocó a horcajadas sobre él, apretándose contra mí, haciéndome notar la evidencia de su deseo con enfebrecidos movimientos. Un suave gemido escapó de mis labios ante el súbito contacto.

Pero se detuvo de repente, apartando las manos.

—¿Qué ocurre?

—Estoy demasiado tenso.

Apoyó la cabeza en el respaldo del sofá y tragó saliva, su nuez moviéndose arriba y abajo.

Quería besarlo, pero antes necesitaba saber qué estaba pasando por su cabeza.

—¿Y qué?

Él cerró los ojos y lo sentí rígido bajo mis manos.

—Tócame —le supliqué.

Desabroché a tientas los botones de su camisa, incapaz de esperar un segundo más para sentir su piel sobre la mía. Pasé los dedos por su torso, inclinándome para lamer su garganta, disfrutando de su aroma y del sabor salado de su piel.

—Espera —dijo con los dientes apretados.

Me eché hacia atrás obedientemente.

—¿Por qué?

Mi corazón se encogió y sentí que me envolvía una oleada de tristeza cuando se quedó callado. Después de lo que había compartido con él esa noche había sido tan tonta como para pensar que podríamos seguir adelante como si no hubiera pasado nada.

Busqué en sus ojos y, antes de que apartase la mirada, en ellos vi un brillo de emoción. ¿Era miedo?

—Te deseo, Blake.

¡Y cómo!

Empujé hacia delante para compensar el insoportable calor que sentía entre los muslos.

—Yo también te deseo y seguramente me volveré loco si no puedo estar dentro de ti esta noche —exhaló un tembloroso suspiro—. Pero es que no quiero... tengo miedo de asustarte.

—No soy una muñeca de porcelana. Prometo que no me harás daño.

Él cerró los ojos de nuevo, sus manos inmóviles sobre el sofá, como si así pudiera contener la tentación de tocarme.

Admirando cada pliegue de su duro abdomen, pasé los dedos por su torso, siguiendo la suave línea de vello que desaparecía bajo la cinturilla del pantalón.

Busqué el botón de la bragueta, pero antes de que pudiese liberarlo Blake me sujetó por las muñecas, sosteniéndolas mientras hacía un esfuerzo para respirar.

—Quiero que pierdas el control, Blake.

Temblaba de arriba abajo, mi propio autocontrol pendiendo de un hilo. Lo único que deseaba era que me tomase como yo quería, como necesitaba que lo hiciera.

Tomándome por la cintura se levantó del sofá sin aparente esfuerzo y envolví las piernas a su alrededor mientras íbamos al dormitorio.

La habitación solo estaba iluminada por dos pequeños apliques en la pared, la penumbra envolviéndome como el calor de su cuerpo.

Cerró la puerta y me apoyó en ella dejando escapar un gruñido. Tuve que contener el aliento cuando mi espalda golpeó la madera, pero me mordí los labios mientras me apretaba contra él, anhelando todo lo que podía darme.

Los finos tirantes del vestido resbalaron por mis hombros en una clara invitación para que liberase mis pechos uno a uno para acariciar los pezones con la lengua y los dientes. Lo agudo de la sensación me sorprendió y gemí su nombre, suplicando más.

Me dejó en el suelo para liberarme del vestido, dejándome desnuda y sin el menor pudor mientras se arrodillaba ante de mí, besando lujuriosamente desde el tobillo hasta los pliegues de mi húmedo sexo, que se comprimía de deseo.

Se colocó mi pierna sobre el hombro, abriéndome para él. La fricción de su incipiente barba en el interior de mis muslos estuvo a punto de hacer que me corriese allí mismo.

Pasé los dedos por su pelo, tirando de él cuando me tocó con la boca. Un incendio empezó a crecer en mi vientre después de unos cuantos roces de su lengua.

«Dios, qué talento».

Se concentró en el diminuto capullo de nervios que tenía todo mi cuerpo en tensión, buscando desesperadamente el alivio que solo él podía darme. Sus caricias se volvieron más ardientes y chupó mi clítoris con un fervor que me dejó sin aliento.

Empecé a verlo todo borroso cuando llegué al borde del precipicio y me despeñé en caída libre, experimentando un clímax estremecedor que me hizo caer en sus brazos.

Antes de que me fallasen las rodillas, Blake me sujetó, mi cuerpo manso y rendido apretado contra el duro torso masculino. Me besaba sin parar; besos lentos y medidos que calmaban los temblores del reciente orgasmo.

Puse las manos sobre su ancho torso y aparté su camisa, ansiosa ante la oportunidad de tocarlo libremente como había querido hacer durante días.

Su piel estaba ardiendo, tensa sobre unos músculos que parecían luchar con impresionante contención.

Pero yo quería tenerlo del todo, inclemente, sin reservas.

—Blake, si no me follas ahora mismo voy a perder la cabeza, te lo juro.

Él esbozó una sonrisa mientras me llevaba a la cama.

Se desnudó rápidamente, sus músculos flexionándose con cada movimiento, cada gesto una promesa del poder que podía ejercer sobre mí.

Esperé con impaciencia mientras sacaba un preservativo del bolsillo del pantalón para enfundar su impresionante miembro.

Me maldije a mí misma por hacernos esperar, por habernos hurtado el sitio donde los dos queríamos estar a toda costa.

Cuando esperaba que volviese a mi lado, tiró de mí hacia el borde de la cama y enredó mis piernas en su cintura, colocándose sobre la húmeda carne entre mis piernas.

Sus ojos se habían vuelto oscuros y su respiración se convirtió en un gruñido animal mientras me empotraba con una salvaje embestida, clavando los dedos en mis caderas.

La abrupta invasión me arrancó un grito, pero intenté calmarme mientras mi cuerpo se aclimataba a su dominación. Cerré los ojos para absorber la maravilla de tenerlo dentro de mí, pero Blake se había quedado inmóvil.

Cuando volví a abrirlos, su expresión era tensa, el mentón rígido. Pasó las manos desde mis caderas hasta mis rodillas y se apartó un poco.

Emití un suave gemido de protesta mientras enredaba los tobillos en su cintura y lo empujaba hacia mí.

—Esto es lo que quiero.

—Erica…

—No quiero que te contengas. Lo quiero todo, Blake.

Desesperada, me arqueé hacia él. El deseo de tenerlo otra vez dentro de mí, abrasándome, era implacable. Necesitaba precisamente eso que él temía darme.

—Por favor —supliqué de nuevo.

Blake dejó escapar un tembloroso suspiro y se apartó despacio antes de empotrarse en mí con un golpe seco y profundo. Grité mientras arqueaba la espalda.

«Así, justo así».

Recibía sus rápidas embestidas, ahora fieras e implacables, mientras mi coño se cerraba a su alrededor. Todo mi cuerpo temblaba en una especie de orgasmo perpetuo. Gozaba mientras empujaba cada vez más fuerte, tocando un punto sensible dentro de mí que no sabía que existiera hasta que él lo creó.

Me agarré al borde de la cama, intentando contrarrestar sus embestidas. Cuando pensé que no podría soportarlo más, tiró de mis caderas hacia arriba, apretándome contra él hasta que parecimos fundirnos.

—Blake, sí, sí…

Gritos ininteligibles salían de mi garganta mientras me derretía a su alrededor, el placer convirtiéndose en un río de lava.

Blake se quedó rígido, todos sus músculos convertidos en piedra, su respiración jadeante mientras se corría en una catarata incontenible.

—Erica, joder…

Echó la cabeza hacia atrás, clavando los dedos en mi carne y dejando una marca.

Se quedó inmóvil dentro de mí mientras mi cuerpo se estremecía con las sacudidas de un encuentro sexual incomparable.

Agotada después del orgasmo, me quedé inmóvil, totalmente satisfecha.

Después de un momento, Blake se apartó para tumbarse a mi lado, abrazándome y rozando mi cuello con los labios.

—¿Estás bien?

Lo miré a los ojos, dilatados por la pasión pero cargados de preocupación. Mi corazón se encogió y tuve que hacer un esfuerzo para respirar.

—Estoy más que bien. —Tuve que tragar saliva para deshacer el nudo que tenía en la garganta—. Nunca había estado con nadie como tú y…

No pude terminar la frase porque puso un dedo sobre mis labios antes de depositar allí un beso, robándome las palabras.

Estaba enamorándome de Blake, más de lo que me había enamorado nunca de ningún otro hombre.

Me besó en la barbilla, deslizando los labios hasta mi boca, calmándome con largos y profundos roces de su lengua. Aunque suaves, esos roces me encendían una vez más. Acariciaba su cuerpo con manos ansiosas, admirando cada fantástica curva de su anatomía. No me cansaba de Blake, ya fuese mirándolo o acostándome con él. El deseo de hacerlo mío me abrumaba y mis caricias se volvían más urgentes. Tiré de él hacia mí para sentir el peso de su cuerpo.

—Eres insaciable —murmuró entre besos, tirando de mi labio inferior con los dientes.

—Lo siento, no sé qué me pasa.

Me incliné un poco más hacia él. Cuanto más me daba, más necesitaba.

—¿Por qué ibas a sentirlo?

—Porque es demasiado pronto —respondí, notando que se empalmaba.

—Puedo seguir toda la noche si quieres.

Levantó mis brazos por encima de mi cabeza y entrelazó sus dedos con los míos. Me mantenía cautiva, algo que me excitaba como nunca, haciéndome temblar de la cabeza a los pies.

Estar con Blake me enloquecía y esa adicción se afianzaba con cada fantástico orgasmo. Sin poder mover los brazos, enredé las piernas en su cintura y tiré de él hacia mí.

—¿Es un reto? —bromeé, sintiendo la tentación de ponerlo a prueba.

—Sí —respondió con voz ronca de deseo mientras se apoderaba de mis labios.

11

Me despertó la luz del sol que entraba por la ventana, envuelta en el suave edredón de Blake y en los recuerdos de la noche anterior. Cuando me estiré encontré vacío el otro lado de la cama, pero enseguida me llegó un rico olor a café recién hecho.

Me levanté y tomé una camiseta blanca del vestidor para cubrir mi desnudez. Sonreí cuando entré en el baño al ver que había dejado cosas de aseo para mí. La mayoría de las chicas tenían que esforzarse mucho para llegar a ese punto.

Después de arreglarme un poco salí de la habitación, siguiendo los sonidos que llegaban de la cocina.

Encontré a Blake echando huevos en un cuenco. Iba sin camiseta, solo con el pantalón del pijama, que se pegaba a sus caderas, el pelo alborotado y unas gafas de montura negra que le daban un aspecto muy sexy de buena mañana. Pero también hacían que pareciese mayor y más humano, una especie de Clark Kent.

Me apoyé en la isla de granito y lo observé mientras hacía el desayuno. Había cortado fruta y estaba echando beicon en una sartén mientras intentaba decidir qué iba a hacer con los huevos.

Y mi corazón dio un vuelco al pensar que estaba haciendo todo eso por mí.

Blake dejó el cuenco y se lavó las manos antes de dar media vuelta para rozar el bajo de mi camiseta.

—Me gusta —murmuró, sonriendo—. Estás muy guapa.

—No era mi intención ponerme guapa, pero me alegro de que te guste —me apoyé en la encimera, inclinando a un lado la cabeza—. No sabía que usaras gafas.

—No suelo usarlas, pero anoche me tuviste tan ocupado que olvidé quitarme las lentillas.

—Ah, lo siento.

—Yo no.

Me levantó para sentarme sobre la encimera y se colocó entre mis piernas, acariciando mis muslos y deslizando las manos bajo la camiseta para tocar mi espalda, dejando un rastro de calor a cada paso.

Suspiré cuando encontró mis pechos y empezó a acariciar un pezón hasta que se endureció. Me besaba moviendo la lengua adelante y atrás en un gesto que me recordaba el dulce escozor que sentía entre las piernas tras el maratón de la noche anterior.

—Me estás convirtiendo en una mujer licenciosa. —Bromeé, sintiendo que todo mi cuerpo despertaba a la vida, pero con un despertar bien diferente.

—Hmmm, me gusta cómo suena eso.

Gruñó sobre mi cuello mientras me besaba y chupaba, la vibración haciéndome temblar. Con una mano tomó mi tobillo para envolver mi pierna en su cintura mientras con la otra masajeaba la tierna piel entre mis muslos.

—Estás tan húmeda.

—No puedo evitarlo. Tú eres el culpable —me eché hacia delante, hacia su mano.

—Solo estoy empezando, cariño.

Se apoderó de mi boca mientras introducía dos dedos dentro de mí, repitiendo el movimiento con la lengua, dejándome reducida a una masa temblorosa.

Me agarraba a él desesperadamente, clavando las uñas en sus hombros. Con la respiración jadeante y el corazón desbocado, me aferré a él cuando el orgasmo se apoderó de mí.

Sacó los dedos de mi interior para ajustar su descarada erección bajo el pantalón de pijama.

—Espera, tengo que ir a buscar un preservativo. No esperaba un polvo de desayuno.

La expresión me hizo reír, delirante y hambrienta de sexo.

—Si no quieres, no hace falta.

—Te aseguro que quiero follarte.

—No, me refiero al preservativo. Tomo la píldora.

Su silencio hizo que quisiera dar marcha atrás.

—Lo siento, es que pensé…

«Mierda, qué manera de cargarme el momento».

Él sacudió la cabeza.

—No, no es eso. Confío en ti, es que siempre lo uso.

—Olvídalo, lo siento.

La mayoría de los hombres se quejaban de tener que usar preservativo, pero me sentía más segura sabiendo que para él era una exigencia.

—Deja de disculparte, Erica.

Su tono seco me sorprendió y me mordí los labios, esperando ver cómo terminaba aquello.

—Buena chica —murmuró, satisfecho.

Me quitó la camiseta, descubriendo mis pechos desnudos, y vi que sus ojos se oscurecían.

Antes de que me diera cuenta, me llevó al salón y me sentó a horcajadas sobre su regazo, desnuda, desnuda en el largo sofá de color crema. Le di un beso largo, perezoso, antes de quitarle las gafas para dejarlas sobre la mesa de café.

Blake tiró hacia abajo del elástico de su pijama para liberar su pene, que a la luz del día era más impresionante que nunca, grueso y viril, esperándome.

Deseando chuparlo, me puse de rodillas y cerré los labios sobre la húmeda cabeza, lamiendo suavemente la sensible punta antes de meterlo en mi boca para chuparlo ansiosamente, olvidándome de mí misma mientras le daba placer hasta que Blake me detuvo agarrándome del pelo.

—Ponte encima de mí —me ordenó.

Un calor nuevo me recorrió de arriba abajo. La reacción física ante esa orden era innegable. Más húmeda que antes, obedecí y me coloqué encima.

—Ahora, sientate sobre mi polla despacito y con cuidado.

Ardiendo de deseo, la coloqué en mi vulva y fui bajando las caderas con laborioso control, disfrutando de cada segundo.

Sin ninguna barrera entre nosotros, me iba ensanchando centímetro a centímetro hasta hundirse del todo dentro de mí.

Cerré los ojos y un gemido de gozo escapó de mi garganta.

—Mírame.

Abrí los ojos para encontrarme con el crudo deseo en los suyos. Tomó mi cara entre las manos y me besó con fuerza, casi con violencia. Gimoteé mientras intentaba enderezarme poniendo las manos sobre sus hombros.

Blake se apartó y, respirando agitadamente, deslizó un dedo por mi mejilla, por la clavícula, rozando luego un sensible pezón y, por fin, sujetándome posesivamente por las caderas.

Levantó la mirada, apoderándose de mis ojos como se había apoderado del resto de mi cuerpo.

—Eres preciosa.

La intensidad de su mirada hizo que se me encogiera el corazón.

Estaba enamorándome de Blake, pero teniéndolo dentro de mí, tocándome, mirándome de ese modo, me daba igual. No podía escapar de lo que aquel hombre me hacía sentir.

Respondí moviendo las caderas, que él abarcó con un brazo, sujetándome mientras cambiaba de posición y empujaba hacia arriba, empotrándome, dándomelo todo. Contuve el aliento al sentir un ligero malestar cuando golpeó mi útero, pero el malestar enseguida dio paso al placer cuando empezó a hacer círculos con un dedo sobre mi hinchado clítoris.

Una fina capa de sudor cubría mi piel mientras empujaba, resueltas y decididas embestidas que me hacían olvidar momentáneamente mi ventaja en esa postura. Seguía el ritmo de sus movimientos hasta que Blake aflojó la presión, dejándome llevar el control, pero acariciando ansiosamente mis caderas.

—Confía en mí —susurré, tensando los músculos vaginales al máximo para darle placer.

Clavé las uñas en su torso y lo besé enfebrecida, compartiendo cada aliento que nos llevaba a los dos al precipicio, donde caímos sin dejar de mirarnos a los ojos.

Me había quedado dormida en el sofá después de desayunar. Entre la noche anterior y el ejercicio de esa mañana estaba agotada.

Cuando desperté horas después, Blake estaba sentado en el otro sofá, su brillante portátil negro sobre los muslos. Era un Blake diferente al de esa mañana, vestido y mirando intensamente la pantalla mientras tecleaba a toda velocidad.

—Pensé que no trabajabas en casa —murmuré, estirándome perezosamente.

—Solo estoy investigando un poco —respondió, sin levantar la mirada.

—¿Qué estás investigando?

Blake cerró el portátil y lo dejó a un lado.

—Creo que lo he encontrado —respondió en voz baja.

—¿A quién?

En lugar de responder, puso las manos sobre su regazo, mirándome a los ojos.

«Ay, Dios».

Se me encogió el estómago de tal forma que temí que iba a vomitar el desayuno. Mi cerebro seguía nublado por el sueño, pero se volvió loco mientras intentaba procesar lo que acababa de decir.

—¿Cómo? —me senté de golpe, intentando despertar del todo.

—He sacado el informe de todas las transacciones del restaurante, específicamente del bar. A partir de ahí ha sido fácil dada su edad y su alma máter.

—No entiendo cómo has podido hacerlo.

Aquello era demasiado. Había ido demasiado lejos.

—No pensaba contártelo, pero cómo haya encontrado la información es menos importante que la información, ¿no te parece?

—¿Por qué lo has hecho? Ya ni siquiera me importa.

—¿No crees que identificar al hombre que te violó sea importante? —Blake enarcó una ceja.

—En este momento de mi vida, no. ¿Para qué necesito poner nombre a una cara que quiero olvidar?

—Aún puedes presentar cargos contra él. Esos delitos no prescriben.

—¿Y qué iba a decir? «Mire, agente, tenía dieciocho años y estaba borracha en la fiesta de una fraternidad cuando ese gilipollas hizo lo que quiso conmigo». —Hice una mueca—. Seguro que nunca han oído nada parecido.

—¿Y si siguiera haciéndolo?

Tuve que tragar saliva. ¿Y si yo no fuera la única? Aunque me culpaba a mí misma por haberme metido en tan peligrosa situación, sabía que nadie merecía pasar por algo así y habría hecho cualquier cosa para borrar tan doloroso recuerdo de mi pasado.

Pero no estaba preparada para enfrentarme con ese recuerdo o con ese hombre.

El hombre que me hizo aquello.

Y allí estaba Blake, forzándome a hacerlo, proyectando una luz sobre los detalles de algo que había perdido la esperanza de conocer. Pero ahora no quería saber. No quería tener nada que ver con ello.

Me levanté a toda prisa para ir al dormitorio, pero el repentino movimiento me mareó y estuve a punto de perder el equilibrio.

—¿Dónde vas?

Sin responder, entré en la habitación. Había un vestido de color azul claro sobre la cama, que Blake había debido sacar de mi apartamento mientras yo dormía. Sobre él, las braguitas de encaje blanco que había perdido en Las Vegas.

Joder.

Cerré los ojos, abrumada en todos los sentidos. El último día con Blake había sido asombroso. Estar con él despertaba sentimientos que no era capaz de entender, y no quería hacerle daño, pero no podía pensar con claridad en ese momento.

Me vestí rápidamente y tomé el resto de mis cosas, pero me encontré con él en el pasillo, cerrándome el paso.

—Erica, no te vayas.

—No tenías ningún derecho.

Blake frunció el ceño, apartando las manos del quicio de la puerta.

—¿No tenía derecho a encontrar al hombre que se aprovechó de ti?

—No quiero saber quién es. ¿Es que no lo entiendes?

Tuve que parpadear furiosamente para controlar las lágrimas. Quería seguir enfadada con él cuando lo miré a los ojos, pero en ellos había un brillo de confusión… y no podía esperar que lo entendiese.

Pasé a su lado y bajé por la escalera con las piernas temblorosas. Me detuve en la puerta de mi apartamento aguzando el oído… pero no, Blake no me había seguido. Después de echar la cadena, cerré los ojos y tragué saliva, pero nada podía detener las lágrimas o los recuerdos.

Me deje caer suavemente al suelo y sollocé hasta que el dolor dejó de ser insoportable.

Llegué a Nueva York unos días después. Por suerte había conseguido evitar a Blake y agradecía que él no hubiera insistido en hablar conmigo. Viviendo en el mismo edificio, simplemente saber de su proximidad me distraía y necesitaba tiempo para pensar. Los últimos días habían sido complicados y decidí que era el mejor momento para visitar a Alli y ordenar mis pensamientos.

Tomé un taxi desde el aeropuerto JFK hasta la dirección que ella me había dado en Brooklyn Heights. El taxista se detuvo frente a un edificio de muchas plantas con un alero ornamentado sobre el portal. Entré en el amplio vestíbulo y saludé al conserje, que sonrió amablemente.

—Soy Erica Hathaway, vengo a ver a Alli Malloy.

—Sí, me han dicho que la esperaban. Está en la suite del señor Landon, el número cuarenta y dos.

—Gracias —dije, intentando esconder mi sorpresa.

Y yo haciendo planes para desaparecer unos días en Nueva York…

Llamé a la puerta y esperé unos segundos. Llamé de nuevo, con más fuerza, pero nada. Cuando estaba a punto de aporrearla, Alli abrió la puerta, con los ojos brillantes y el rostro colorado como si… bueno, yo conocía bien esa expresión. Mi amiga me abrazó con fuerza.

—¡Estás aquí!

Le devolví el abrazo, contenta. La había echado tanto de menos, pero me parecía más pequeña, más delgada. ¿Había perdido peso?

Antes de que pudiera mencionarlo Alli se apartó para mirarme de arriba abajo. Como hacía un calor del demonio aquel día, llevaba unos tejanos cortos y dos camisetas sin mangas superpuestas, con un sombrero Fedora blanco como toque divertido.

—Qué mona estás —comentó.

—Sí, bueno, tú también —ojalá estuviese diciendo la verdad.

—No, no, yo estoy fatal. Acabo de despertarme de una siesta.

—Menuda siesta —murmuré, fijándome en el pelo alborotado, como se te queda después de follar, que Alli intentaba arreglarse mientras entrabamos en el enorme *loft*, con una fabulosa panorámica de Manhattan.

Mientras ella reía, un poco colorada, miré alrededor esperando ver a Heath, pero no estaba allí.

—Bonito apartamento.

—Sí, lo es, ¿verdad?

El *loft* era impresionante, todo lo que se podía esperar de un miembro de la familia Landon, con techos altos de vigas expuestas y suelos de madera oscura. Los muebles y objetos decorativos en tonos neutros, con algún toque de color. La decoración me recordaba el apartamento de Blake en Boston.

—¿Quieres tomar algo?

—Sí, claro, cualquier cosa con hielo.

Mientras ella se ocupaba en la cocina me senté en un taburete frente a la barra.

—¿Cuándo pensabas contarme que estás viviendo con Heath?

Alli se apoyó en la barra.

—Lo siento. Había pensado que sería mejor contártelo en persona.

—Puedes alojarte donde quieras, pero deberías habérmelo contado. Blake no sabe que estoy aquí, por cierto.

Mientras ella arrugaba el ceño, oí que se abría una puerta en el pasillo. Heath apareció recién duchado y vestido, con una sonrisa de oreja a oreja.

Se parecía más a Blake de lo que recordaba, pero no podía quitarme de encima la sensación de que había algo oculto bajo ese aspecto encantador. Sí, Blake también tenía muchas capas, pero no parecía tener intención de esconderlas.

—Erica, cuánto tiempo.

Me dio un rápido abrazo antes de reunirse con Alli. Cuando la besó, aparté la mirada.

Hacían buena pareja e irradiaban una energía que empezaba a resultarme familiar, pero solo llevaba allí diez minutos y ya sentía que estaba invadiendo su intimidad.

Se me encogió el corazón al pensar en Blake. ¿Hasta dónde estaba dispuesta a llegar para que me besara así? Aunque sabía que no podía ser. Quisiera él o no, necesitaba espacio para entender todo lo que estaba pasando.

Que Blake se inmiscuyera en mi vida era inaceptable, además de ilegal.El recuerdo de la violación me había dejado tan vulnerable y dolida.

Me levanté del taburete para acercarme a las enormes ventanas desde las que podía ver Central Park, preguntándome si era Blake quien pagaba ese *loft* o si Heath contribuía económicamente «de algún modo para mantener ese estilo de vida.

Quizá estaba siendo demasiado crítica. Alli estaba loca por Heath, algo que en los tres años que habiamos convivido no había visto jamas. Y, por ella, esperaba que aquello no fuese demasiado bueno para ser verdad.

—¿Tienes hambre? Debe ser la hora del almuerzo.

—Sí, claro.

—Ven, voy a enseñarte tu habitación.

Alli tomó mi bolsa de viaje, pero Heath se la quitó de las manos y me indicó que lo siguiera por el pasillo hasta una habitación de buen tamaño, decorada con los mismos tonos neutros que el salón, pero con un edredón de rojo como toque de color.

Lamenté no poder compartir esa cama con Blake. Imaginarlo debajo de mí, o viceversa, era más que apetecible.

El recuerdo de nuestro último encuentro hizo que mis ojos se empañasen, pero sacudí la cabeza. Tenía que dejar de pensar en él.

12

Alli y yo devoramos nuestros aperitivos entre trago y trago de *Prosecco* mientras esperábamos el plato principal, que para mí era una montaña de carbohidratos. Superar la adicción a Blake me estaba produciendo una preocupante inapetencia, pero estando con Alli me sentía relajada otra vez y tan cómoda que mi apetito había vuelto.

—¿Qué tal tu nuevo trabajo? —le pregunté.

—Me encanta, bueno en general me encanta. Es de locos, todo se hace muy rápido y es estresante correr detrás de todo el mundo, pero creo que es un paso adelante.

—Estupendo, ¿no? —esbocé una sonrisa.

—Sí, la verdad es que sí. Y estoy haciendo contactos para ti, por cierto. Heath me ha presentado a un amigo que nos va a llevar a una exposición mañana por la noche.

—¿Una exposición de arte? —pregunté, sin saber qué tenía eso que ver con la moda y conmigo.

—Será muy chic y habrá mucha gente importantísima.

—Chic, ¿eh? Bueno, supongo que no es mala idea.

Probé el humeante plato de pasta que el camarero había puesto delante de mí. Delicioso. Podría reemplazar el sexo con la comida, seguro.

—¿Qué tal con Blake?

Intentando controlar una inesperada oleada de emoción, le conté lo que había pasado el último día en Boston. Desde la reunión con Max a follar con Blake en la puerta.

Lo bueno, lo malo y lo feo.

—¿Lo amas?

—¿Pero qué dices? —protesté con voz chillona; la mención de esa palabra de cuatro letras suscitó en mi un ataque de pánico.

—¿Es tan absurdo preguntar eso?

—¿Tú estás enamorada de Heath? —le espeté, desesperada por cambiar de tema, pero temiendo la respuesta.

Alli concentró la mirada en su plato, sin decir nada.

—Pues eso —murmuré, sintiéndome satisfecha.

—Lo estoy —susurró Alli entonces en voz baja.

Comimos en silencio durante un rato. No sabía por qué, pero la noticia me entristecía. Había tenido a Alli para mí sola durante tres años, lo habíamos compartido todo, cuidábamos la una de la otra y juntas habíamos levantado el negocio que me daba un propósito en la vida. Pero en unas semanas, de repente, solo tenía ojos para Heath. Sentir celos era irracional porque quería verla feliz, aunque fuese a costa de nuestra amistad.

—¿Crees que es bueno para ti?

—Nos llevamos bien —dijo ella simplemente—. Las cosas no son siempre perfectas, pero suelen acabar bien. Estamos intentando que funcione.

—Entonces me alegro por ti.

Sus facciones se relajaron mientras apretaba mi mano.

—Gracias.

Supe entonces que había estado esperando mi aprobación durante todo ese tiempo.

—Me alegro tanto de que estés aquí. Te he echado de menos.

—Yo también a ti. A veces tengo la sensación de que estamos a miles de kilómetros de distancia.

—Pero no es así. Siempre estaré ahí cuando me necesites.

Asentí con la cabeza, sin recordarle que había estado prácticamente ilocalizable desde que se mudó a Nueva York.

En cualquier caso, saber eso hacía que me sintiera un poco más animada. Con Blake fuera de mi vida en ese momento, retomar mi amistad con Alli era lo mejor que podía pasarme, aunque tuviese que compartirla con Heath.

Alli se fue a trabajar al día siguiente y decidí dar un paseo por el parque, para mirar a la gente mientras intentaba ordenar mis pensamientos. Al ver a docenas de diminutas figuras atravesar el puente de Manhattan intenté imaginar cómo sería ser un neoyorquino.

Tal vez había llegado el momento del cambio. Alli parecía tan feliz… debido en gran parte a que se acostaba con Heath y, a juzgar por su aspecto cuando me recibió el día anterior, lo hacían seguido y apasionadamente. Pero tal vez también yo podría ser feliz en Nueva York.

Había sacado el móvil del bolso más de una vez, tentada de enviar un mensaje a Blake. Lo echaba de menos, pero después de varios días de silencio tal vez había perdido mi oportunidad.

Evidentemente, estar conmigo no iba a ser fácil. Me había marchado en el calor del momento, sin saber cómo reaccionar ante la bomba que acababa de lanzarme y ni siquiera le había dado la oportunidad de darme una explicación.

Dejé escapar un gemido, frustrada en todos los sentidos. Coño, tal vez estaba enamorada de él, aunque no sabía lo que era eso.

Adoraba a Marie y a Alli. Cuando era niña, antes de saber nada de la vida, quería a mi madre con todo mi corazón. Sin embargo, no sabía cómo amar a alguien con quien me acostaba. Mantener una cómoda distancia con otros hombres siempre había sido fácil. Ideal, en realidad. Cuando ellos se cansaban, para mí era un alivio porque nunca hasta ese momento había querido un compromiso serio con nadie.

Ninguno de los hombres con los que había salido me conocía de verdad. Desde luego, no sabían nada sobre mi pasado. Y ahora Blake no solo me volvía loca en la cama sino que estaba tirando todas las barreras que había levantado para protegerme.

A este paso, no podría mantener la fachada durante mucho más tiempo. Me enorgullecía de mostrar ante el mundo una imagen de éxito, de tenerlo todo claro, pero él se la había cargado con unas simples caricias y con su maldita persistencia. Y por eso estaba en aquella situación.

Te echo de menos.

Envié el mensaje, pero lo lamenté de inmediato. No podía dejar de preguntarme si lo habría recibido y, sobre todo, por qué no respondía.

Horas después, sin saber una palabra de Blake, cerré el portátil y me vestí para ir a la galería, convencida de que nos íbamos a encontrar con un grupo de esnobs con jersey de cuello alto, admirando una colección de arte que seguramente no entendería.

Me recriminé ser tan negativa, y atribuí mi estado de ánimo a que Blake aún no había respondido el mensaje que le había enviado.

Investigué en el armario de Alli, admirando sus nuevas adquisiciones y, por fin, me decidí por un pantalón capri negro y una túnica de encaje en fucsia y negro. Me peiné con el pelo sujeto en un moño francés.

Por desgracia, cuando llegamos a la galería de arte descubrí que todos los invitados iban vestidos de estricto blanco y negro, a juego con la austeridad de las fotografías del artista.

Vi a Alli charlando con una mujer al otro lado del local y me abrí paso entre la gente, llamando la atención de todos con mi túnica de color fucsia. Pero debía dejar a un lado la vergüenza. Si iba a hacer contactos lo último que necesitaba era ser invisible.

Me reuní con las dos mujeres y saludé a su amiga de largas piernas, cuyo rostro me resultaba extrañamente familiar. Tal vez fuese una modelo. Era alta e increíblemente guapa, con el pelo castaño muy largo.

—Erica, te presento a Sophia Devereaux. Es amiga de Blake... bueno, y de Heath también.

Que pronunciase el nombre de Blake en presencia de la amazona hizo que mi corazón se detuviera durante una décima de segundo.

De modo que aquella era Sophia...

Allí siguió hablando de Clozpin y de nuestro papel en la empresa, ahorrándome la tarea de hacer autobombo. Sophia no parecía demasiado interesada, pero eso no la detuvo.

—Sophia tiene una agencia de modelos en Nueva York —mi amiga arqueó una ceja—. Trabaja con las mejores marcas en sus sesiones de fotos —añadió, dejando claro por qué estaba hablando con ella.

—Impresionante —comenté.

Y lo decía en serio, aunque no podía dejar de preguntarme qué papel haría aquella mujer en la vida de Blake. Solo había una forma de descubrirlo, pensé. A la gente le encanta hablar de sí misma y, en unos minutos, descubrí que tenía unos contactos fabulosos.

Había trabajado con algunos de los diseñadores más importantes del mundo, y otros a los que yo conocía, y se refería a ellos por su nombre de pila.

Sin embargo, me parecía raro que una chica tan joven y guapa no fuese una modelo sino la propietaria de una agencia. Sophia era el epítome de la perfección física, al menos en cuanto al tipo de mujer que demandaba el mundo de la moda.

En medio de la charla, Alli se excusó haciéndome un guiño, para indicarme que pronto volvería a rescatarme. En fin, esperaba que ese fuera el significado del guiño.

—¿Y de qué conoces a Blake? —me preguntó Sophia en voz baja, con una mala leche que hasta el momento había logrado disimular.

La miré a los ojos, intentando descubrir cuál era su intención, mi adrenalina estaba por las nubes.

—Estamos saliendo juntos —respondí.

Bueno, durante los últimos días habíamos tenido que soportar lo que para mí era una dolorosa separación, pero Sophia no tenía por qué saber eso.

—Qué interesante.

—¿Y tú de qué conoces a Blake? —le pregunté, sin poder disimular mi curiosidad.

Sophia sonrió, atrapando un mechón de perfecto pelo castaño entre los dedos.

—Nos vemos de vez en cuando.

—Qué interesante.

Imité su sonrisa irónica, rezando para que estuviese tirándose un farol.

A juzgar por su tono, no había duda de que «nos vemos» quería decir «follamos». Imaginar a Blake follando con ella me hacía sentir unos celos insoportables y tuve que hacer un esfuerzo sobrehumano para disimular.

—Un consejo, de mujer a mujer. Si buscas su dinero o sus contactos no estarás con él mucho tiempo. Blake protege lo que es suyo.

—Y tú lo sabes por experiencia, ¿no?

Apreté los dientes, furiosa. Aquella mujer tenía un lado oscuro, malévolo casi. Apenas la reconocía desde que Alli nos dejó solas y su expresión cambió con la misma rapidez cuando un joven se acercó a nosotras con dos copas de vino.

—Estáis demasiado sobrias para este evento —bromeó, con un brillo burlón en los ojos.

—Cariño...

Sophia tomó una copa y se inclinó para dar un beso al aire.

Y yo hice lo propio, tomando la copa de vino que me ofrecía sin importarme el origen o la añada. Aquella zorra estaba dándome cuerda y me tenía de los nervios.

—Isaac, te presento a Erica Hathaway. Tiene una página de moda... aunque no me he enterado bien de los detalles —Sophia señaló la puerta—. ¿Me perdonáis? Llego tarde a otra cita. Encantada de conocerte, Erica. Espero que sigamos en contacto.

Me obligué a sonreír mientras estrechaba su mano, aprovechando la ocasión para apretarla más de lo necesario. Sophia hizo un gesto de dolor. Para ser una amazona era muy blandengue, pensé, vengativa.

—Isaac Perry —se presentó el joven en cuanto nos quedamos solos.

—¿Y qué te trae por aquí, Isaac? —le pregunté con despreocupado interés.

—El arte, supongo. Desde luego no la gente, aunque debo decir que tú sí me interesas —dijo con una sonrisa.

Isaac tenía sentido del humor y era un regalo para los ojos. Alto y fibroso, con los ojos de color azul pálido y el pelo rubio oscuro, llevaba un pantalón negro y un jersey con escote en V. Tenía un aspecto juvenil, informal, menos pretencioso que la gente que nos rodeaba.

—¿Y qué te parece el arte? —pregunté, sin morder el anzuelo.

Estaba angustiada porque Blake seguía sin responder a mi mensaje y no podía ponerme a flirtear en ese momento.

Isaac lanzó un silbido, mirando la obra que teníamos delante.

—Creo que me gusta. Y me alegro porque tenemos que escribir un artículo sobre la exposición.

—¿Eres escritor?

—Editor. Soy el propietario de Perry Media Group.

Reconocí el nombre, que había atravesado de algún modo mi burbuja de tecnoadicta durante mi época universitaria. El artículo del que hablaba podría aparecer en varias publicaciones no solo nacionales sino internacionales de gran calidad.

Tosí un poco antes de tomar un trago de vino y lo vi sonriendo mientras miraba alrededor.

—Háblame de lo que haces. Debo admitir que no sé tanto como debería sobre las redes sociales, pero es fascinante, ¿no?

—Desde luego. Imagino que el mundo de las editoriales se mueve a toda velocidad, pero la tecnología a veces te deja loca. Supone un reto estar al día, pero eso es lo que me gusta.

—Pero eres demasiado joven para haber conseguido todo eso, ¿no?

Estaba dándome jabón, pero después de mi charla con Sophia agradecía cualquier halago.

—Sí, supongo que sí.

—Aparte de ser una mujer, algo poco habitual en ese mundo.

—Soy una especie rara entre los tecnoadictos.

Era verdad. Me habría gustado tener un grupo de colegas con más diversidad de género, pero imaginaba que eso cambiaría con el tiempo.

—En el mundo editorial es al contrario. Yo estoy rodeado de mujeres.

Esbozó una sonrisa que me desarmó. Era encantador, aunque no entendía por qué soportaba los besos al aire de la diabólica Sophia.

—Así que te dedicas a la moda, ¿eh? Imagino que conocerás a todos los blogueros de Nueva York.

—No, la verdad es que no.

—Pues deberías. Son la base de esa comunidad, lo que hace que una marca pueda asomar la cabeza en el mercado. Si les caes bien, estarás en todas partes.

—Entonces tendré que ponerme a ello. Gracias por el consejo.

Levanté mi copa de plástico para rozar la suya, mi buen humor entonaba con él de Isaac. No sabía si por el vino o por su energía positiva, pero me sentía mejor que en todo el día.

—¿Tienes planes para el sábado por la noche? —me preguntó, bajando la voz.

El tono sugerente me sorprendió. No quería ese tipo de relación, pero él aún no lo sabía.

—Lo siento, no puedo.

—Entonces podríamos almorzar juntos el domingo. Me encantaría saber algo más sobre tu negocio y quizá podríamos encontrar una forma de colaborar.

Vacilé, claro. El editor de Perry Media Group quería hablar de una colaboración y no podía rechazarlo, daba igual cómo me mirase. Una cena implicaba demasiado, pero un almuerzo no estaría mal.

—Sí, creo que sí puedo.

Compartimos teléfonos, anotándolos en nuestros respectivos móviles con un lápiz digital.

Alli se reunió con nosotros poco después y me recordó que habíamos quedado para cenar con Heath.

—¿Quién era? —me preguntó en cuanto salimos a la calle.

—Isaac Perry.

—Joder, Erica, menudo partidazo. Y no te quitaba los ojos de encima.

—Da igual —me encogí de hombros—. Parece que Sophia también lo conoce.

Esperé que Alli me contase algo más, pero no lo hizo. Quería saber más sobre la tal Sophia, aunque ya me había puesto de mal humor.

Llegamos a nuestro destino, un restaurante de fusión asiática del que brotaban fabulosos aromas. Alli vio a Heath y cambió de inmediato. Su expresión, su lenguaje corporal, todas sus energías concentradas en él. Gruñí por lo bajo, sabiendo que ninguno de los dos se daría cuenta, mientras nos sentábamos a una mesa y pedíamos la cena.

—Alli me ha dicho que conoces a Sophia —comenté, interrumpiendo el magreo.

Heath se irguió, serio de repente.

—Así es. Hemos invertido en su agencia.

—¿Blake también?

—Sí, Blake también la conoce.

Miré a Alli, que parecía convenientemente distraída por algo al otro lado del restaurante.

—Parece que se conocen bien.

Tomé un sorbo de agua, esperando.

Heath miró a Alli, tamborileando con los dedos sobre la mesa. Como Blake, solía ser frío y sereno, pero su encanto y su trato informal diferenciaban a los dos hermanos.

¿Por qué hablar de Sophia lo ponía nervioso? Porque significaba algo para Blake. Era la explicación más lógica, considerando que Heath sabía más sobre nuestra relación de lo que me gustaría.

—Creo que estuvieron saliendo hace años, cuando él vivía en Nueva York, pero ahora solo son amigos.

Fue como si me hubiera dado un puñetazo en el estómago. Había enfatizado «hace años», pero eso no cambiaba la realidad: Blake y Sophia habían tenido una relación.

La cuestión era si esa relación tenía un presente y un futuro. Comprobé mi móvil, pero nada. Su silencio me rompía el corazón y, de repente, mis ojos se empañaron. «Cálmate», me dije.

El teléfono de Heath empezó a sonar y me miró, inseguro.

—Perdonad un momento, tengo que contestar —se excusó antes de levantarse.

—Bueno, esto es alucinante —murmuré, enfadada.

—¿Qué?

—Que has dado un giro de ciento ochenta grados desde que viniste a Nueva York, Alli. Primero te mudas al apartamento de Heath y no te molestas en decírmelo y ahora me presentas a una exnovia de Blake sin avisarme.

—Lo siento. No sabía que Sophia estaría allí. Además, Heath ha dicho que ahora solo son amigos.

—Deberías haberme avisado y tú lo sabes. Coño, Alli, sé que estás loca por Heath, pero tú no eres así.

—Soy la misma persona que hace unas semanas. Es que… las cosas son más complicadas de lo que tú crees.

—Sin duda, porque no me cuentas nada.

Ella suspiró, jugando con su pelo.

—He dicho que lo sentía, ¿no? Admito que debería haberte hablado de Sophia. Si tú me presentases a alguien con quien Heath hubiera salido yo querría saberlo.

Me relajé un poco. Que Alli me escondiese la verdad no me hacía ningún favor. Estaba enamorándome de Blake y necesitaba saber si esa relación llegaría a algún sitio. Alli era leal a Heath y lo entendía, pero que lo protegiese a él, y a Blake, a mi costa no me gustaba nada.

13

Dormí hasta muy tarde, casi tan agotada y desconcertada como cuando me metí en la cama por la noche. Miré el reloj y tuve que hacer un esfuerzo para levantarme.

Imaginé que Alli ya se habría ido a trabajar. Heath y ella se habían ido de copas después de dejarme en el apartamento y habíamos hecho planes para salir esa noche, pero tal vez necesitaban estar solos.

Inquieta, había estado dando vueltas en la cama durante lo que me parecieron horas, pero por fin me quedé dormida y no los había oído regresar.

Cómo podía salir hasta tan tarde teniendo que ir a trabajar era incomprensible para mí.

Me puse cómoda en la cocina mientras hacía café y una tortilla francesa. Luego busqué estudios de yoga cercanos en la aplicación de mi móvil y encontré uno al que podía ir andando antes de comer.

Mientras devoraba mi desayuno, Heath salió del dormitorio con aspecto fatigado. Tenía ojeras después de una larga noche de copas y por primera vez noté que parecía mayor que Blake, con pequeñas arruguitas alrededor de los ojos pardos.

Tenía el mismo torso ancho y trabajado, y unos ojos tan intensos como los de su hermano, pero no sentía la menor atracción por él. El aspecto de Blake me había atraído desde el principio, pero esa llama seguía viva por muchas más razones. Desde entonces, los demás hombres se habían vuelto invisibles para mí.

Desnudo de cintura para arriba, Heath se acercó a la cafetera, llenó un tazón hasta arriba y tomó un buen trago antes de saludarme con la cabeza.

—Buenos días.

—¿Os acostasteis muy tarde?

—Sí —Heath se pasó una mano por la cara.

—¿Y cómo estaba Alli esta mañana?

—Pues… bien —hizo una pausa- volvió a casa antes que yo.

¿Había vuelto sola? Allí pasaba algo raro.

—¿Va todo bien?

Estaba metiéndome en su vida personal, pero todos parecían pensar que eso estaba bien cuando se trataba de la mía.

—Sí, claro. Ya sabes cómo son las cosas —Heath se encogió de hombros.

Estaba mintiendo, pensé. O eso o escondía algo.

—¿Estás enamorado de ella? —le solté, sorprendiéndome a mí misma.

Era una pregunta demasiado directa y más para alguien con ese aspecto derrotado.

Heath me miró y en sus ojos vi una emoción a la que no podía poner nombre. Pero la sonrisa falsa desapareció.

—Evidentemente.

Mientras dejaba su taza sobre la encimera parecía un poco amargado, como si esa realidad le doliese. Y esa extraña actitud despertó mi lado más protector.

—Eso espero porque Alli está loca por ti. Nunca la había visto así.

En su mentón latía un nervio que lo delataba. El mismo que me advertía cuando Blake estaba nervioso.

—Si le haces daño…

Levanté la barbilla, dispuesta a dejar las cosas claras, pero mi vacía amenaza perdió fuerza enseguida.

¿Qué iba a hacerle? Escudado por su multimillonario hermano, estaba a buen resguardo y amenazarlo sería una tontería.

—No tengo intención de hacerle daño —replicó, su voz ronca de cansancio y seguramente de fastidio.

Cuando nuestros ojos se encontraron me pareció ver en los suyos un brillo de dolor, pero enseguida dio media vuelta.

Terminé mi desayuno y volví al dormitorio para cambiarme mientras Heath dormía para aliviar sus penas, o lo que fuese que lo tenía tan torturado.

Horas después, el estudio de yoga empezaba a llenarse de gente. El instructor no perdió el tiempo con calentamientos, ni mentales ni físicos. Y yo necesitaba aquello. Tenía que quemar las comidas ricas en calorías a las que me habían invitado, pero sobre todo necesitaba centrarme. No parecía capaz de vaciar mi mente del constante caos que provocaba Blake.

Al final de la primera media hora estaba esforzándome por alcanzar la perfección en la postura de la rueda, mi torso arqueado hacia el cielo, pero me faltaba aliento. Y práctica. Los complicados movimientos me agotaban y despertaban al mismo tiempo, todos mis músculos activados para conseguirlo. No iba a rendirme ante una docena de personas.

La clase terminó cuando estaba a punto de tirar la toalla, pero mientras hacíamos unos minutos de relajación volví a pensar en Blake.

Y yo intentando vaciar mi mente…

Cuando dedicamos la clase le envié luz y amor. Lo echaba tanto de menos.

En cuanto doblé mi esterilla el móvil empezó a vibrar dentro de mi bolsa, una silenciosa intrusión en mi trabajosamente conquistada serenidad. Ansiosa, lo saqué de la bolsa y salí al pasillo para poder hablar con tranquilidad.

—Erica, soy Max.

—Hola, Max. ¿Cómo estás?

—Genial —respondió.

—¿Va todo bien? Me refiero al papeleo.

—Sí, claro, todo bien. Estamos tardando más de lo que esperaba en preparar la documentación, pero todo va por buen camino.

Dejé escapar un suspiro de alivio.

—Estupendo. Gracias por informarme.

—Ningún problema. ¿Cómo va la página?

—Muy bien. Ahora mismo estoy en Nueva York haciendo contactos. Todo va estupendamente.

—Eso es lo que quería escuchar —escuché otra voz al fondo—. Tengo que irme, pero seguiremos en contacto.

—Muy bien. Gracias otra vez.

—Nos vemos pronto —Max cortó la comunicación.

Estábamos tan cerca del éxito que casi podía tocarlo, pero a pesar de su llamada iba a estar preocupada hasta que todo estuviese firmado.

Intenté ser positiva, pero la rivalidad entre Max y Blake añadía más posibilidades a la lista de tropiezos.

Esa noche mientras estaba en la terraza de una famosa discoteca, una cálida brisa bailaba sobre mi piel.

Alli había estado acicalándome hasta el ridículo antes de salir. El vestido que habíamos elegido tenía muy poca tela, pero hacía calor en Nueva York y abajo, en la discoteca, era un horno.

Las luces de la ciudad decoraban el oscuro cielo, recordándome la última noche que había disfrutado de una vista parecida.

Cerré los ojos para imaginar a Blake detrás de mí, con esa sonrisa que dejaba claro que siempre conseguiría lo que quisiera y que me volvía loca cuando así era.

A mi espalda, Alli y Heath reían, abrazados en uno de los enormes sofás que engalanaban aquella zona exclusiva de la discoteca.

Suspiré para mis adentros, tomando un sorbo de mi tercer Martini para olvidar el silencio de Blake. Tal vez el mensaje había llegado tarde. Tal vez había decidido pasar de mí porque le daba problemas. Y tal vez haría bien.

Yo no había buscado una relación, pero ahora que estaba perdiendo esa oportunidad no podía contener la desoladora sensación de estar perdiendo algo precioso. Nunca había conocido a nadie como Blake y nadie me había hecho sentir como él.

La intensa vibración de la música iba y venía cuando alguien abría la puerta que daba acceso al local. Me apoyé en la barandilla de hierro, mirando el tráfico de la ciudad a mis pies. A lo lejos oía las bocinas de los coches mezclándose con las notas de jazz.

Tenía que quitarme a Blake de la cabeza y aprovechar los días que me quedaban en Nueva York, aunque tuviese el corazón roto.

Me tomé el resto del Martini y decidí apartar a Alli de Heath para bailar un rato.

Pero cuando di media vuelta me quedé petrificada, inmóvil, incapaz de dar otro paso. Parpadeando varias veces, intenté confirmar que la persona que estaba delante de mí era el propio Blake y no el recuerdo del hombre por el que había estado hecha polvo durante las últimas horas.

—Erica…

Su voz era como una caricia, firme y cargada de significado. La intensidad de sus ojos me tenía paralizada.

Me agarré a la barandilla como si fuese un ancla cuando lo que quería era correr hacia él. Y tuve que emplear toda mi fuerza de voluntad para no hacerlo. Solo con verlo mi corazón enloqueció, la piel me ardía y mis sentidos se inflamaron.

Iba vestido de negro de arriba abajo, con un traje de chaqueta y una camisa oscura con dos botones desabrochados en el cuello, las manos embutidas en los bolsillos del pantalón.

¿Por qué no se había puesto una estúpida camiseta para aparecer así, de repente? Era tan apuesto, un ardiente trozo de cielo, y aunque me encantaba con esa ropa, lo único que quería era quitársela.

—¿Qué haces aquí?

Mi voz ronca y vacilante traicionaba mis emociones.

Tal vez Alli y Heath lo habían llamado, pero me daba igual. Mi cuerpo había despertado a la vida sabiendo que estaba allí, lo bastante cerca como para tocarme y excitarme como nadie lo había hecho nunca.

Él esbozó una sonrisa.

—Pensé que me echabas de menos.

—Pues sí —tuve que admitir. No tenía sentido negarlo—. Pero no esperaba verte aquí.

Dio un paso adelante y, sacando las manos de los bolsillos del pantalón, puso una a cada lado de la barandilla, acorralándome.

—Tienes suerte de que esté aquí. De haber sabido que ibas a ponerte ese vestido en público sin estar yo contigo, habría tenido que castigarte.

Apartó la mano izquierda para tocarme donde el vestido dejaba mi piel al descubierto y me aferré a la barandilla con fuerza mientras jadeaba para buscar oxígeno. La promesa erótica que contenía esa amenaza había provocado un incendio en mi vientre.

—¿Te gusta?

Su sonrisa desapareció cuando inclinó la cabeza para besar mi barbilla.

—Si estuviéramos solos podría demostrarte cuánto —murmuró, lamiendo el lóbulo de mi oreja antes de morderlo suavemente.

Exhalé con fuerza, intentando no gimotear al sentir un dulce y agudo tormento en la entrepierna.

—Estoy empalmado desde que te vi.

Suspiré, apoyándome en él, la prueba de su deseo clavándose en mi vientre. Me encantaba saber que era yo quien provocaba esa reacción y era un alivio saber que aún me deseaba tanto como yo a él.

—Blake, lo siento —susurré.

Él se echó hacia atrás, su mirada clavada en la mía.

—Siento lo del otro día —seguí—. No debería haberme ido de ese modo.

Tomé aire, deseando poder borrar ese momento, pero sabiendo que tenía que enfrentarme con ello e intentar que lo entendiese.

—Es que… tenía miedo.

Blake frunció el ceño.

—¿Miedo de mí?

—No, no. De que él… fuese real. Que fuese tan fácil encontrarlo… no sé, no lo puedo explicar. Pero deberías haberme preguntado antes de hacerlo.

—Sabía que debería haber preguntado, pero quería protegerte y necesitaba saber, dijeras tú lo que dijeras —pasó un dedo por mi mejilla—. No podía quedarme de brazos cruzados, Erica. No puedo soportar que ese hombre te hiciera tanto daño.

—Saber quién es no cambia lo que pasó.

—Tal vez no, pero cómo decidas usar esa información depende de ti. ¿No quieres saber quién…?

—No —lo interrumpí—. No, por favor. Tú no puedes entenderlo.

—Muy bien —Blake posó sus labios sobre los míos—. No he venido hasta aquí para disgustarte.

Le devolví el beso, echándole los brazos al cuello para tenerlo más cerca.

—Me alegro de que hayas venido.

Se inclinó para besar mi cuello, su aliento ardiendo.

—Pensaba volver a Boston. No tenías que venir a Nueva York a buscarme —bromeé, agradeciendo que estuviese allí.

—Sabía que volverías, pero tengo negocios que atender aquí, así que decidí hacerte una visita. Yo también te he echado de menos.

Me derretí un poco más sobre su fuerte torso, hasta que un desagradable pensamiento interrumpió ese momento de felicidad.

Sophia.

¿Podría ser ella la razón por la que estaba en Nueva York? Que Blake la viese por cualquier razón, platónica o no, hizo que me enfriase. Sophia era tóxica y vengativa.

—He conocido a Sophia —comenté, intentando parecer despreocupada, pero observando su reacción.

¿Qué significaba para él? Si pensaba verla o, Dios no lo quisiera, ya lo hubiera hecho, no podría soportarlo. Tenía que estar en Nueva York por mí.

—Es una joya —añadí, incapaz de disimular mi desagrado.

Mientras me preguntaba si podría ver más allá de sus perfectas facciones vi que Blake apretaba los labios, mirando el horizonte por encima de mi hombro. Sin decir nada.

Mis entrañas se encogieron de celos, los que me habían perseguido desde que conocí a Sophia, presumiendo de su relación con Blake con esa asquerosa sonrisita sarcástica.

Quería creer la versión de Heath, pero temía que fuese algo más de lo que me había dado a entender.

Me puse de lado, sintiéndome atrapada entre la barandilla y Blake, a merced de sus manos y de unas circunstancias que no podía controlar. Antes de que pudiese apartarme, él me tomó por la muñeca.

—¿Dónde vas?

Su tono seco me hizo sentir un escalofrío y tragué saliva. Por mucho que lo desease, me preguntaba si podría ser capaz de compartirlo con otra mujer

Cerré los ojos, sintiendo que los Martinis empezaban a nublar mi buen juicio. Pero esa noche todo eso me daba igual. Llevaba horas pensando en Blake y allí estaba. Ya hablaríamos de Sophia más tarde.

—Vamos a bailar —lo animé.

Fin de la conversación. Quería perderme en la música y en sus brazos. Quería creer que era mío antes de descubrir que no lo era.

Su expresión se suavizó de inmediato y también la fuerza con que me sujetaba. Sonriendo, entrelazó los dedos con los míos para llevarme abajo.

14

Bajamos a la oscura y abarrotada discoteca, y agradecí que el ruido de la música ahogase los caóticos pensamientos que daban vueltas en mi cabeza. Nos dirigimos a la pista de baile, mezclándonos con la gente que se movía al ritmo del remix de una popular canción de Rihanna.

Iba a volverme hacia él, pero me agarró por las caderas con sus fuertes manos y empujó hacia atrás hasta que nuestros cuerpos estuvieron pegados el uno al otro. El gesto, fluido y ligero, ubicándonos en la posición en la que deberíamos haber estado toda la noche. Juntos.

En un segundo, mi cuerpo se derritió sobre el suyo. Todo me parecía genial estando entre sus brazos. Él guiaba mis movimientos cuando empecé a moverme al ritmo de la música, que reverberaba por todo mi cuerpo. Mis músculos se relajaron y me perdí en el momento, en Blake.

Había mucha gente, pero me daba igual. Solo podía sentir las manos de Blake sobre mí. En sincronía con la canción, me apreté contra él, experimentando un salvaje frenesí al estar tan cerca, al sentir el contacto físico que llevaba días anhelando.

La canción terminó y empezó otra, con un ligero cambio de ritmo, acercándonos más. Su erección se hizo más pronunciada y apretó mi culo con las dos manos, exigiendo en silencio lo que ambos queríamos.

Excitada, eché la cabeza hacia atrás cuando envolvió mi cintura con los brazos para besar mi cuello en un beso ardiente que me mareaba.

Tal vez el alcohol tenía algo que ver, o más bien la droga que era Blake.

Me obligó a dar la vuelta para que lo mirase y, antes de que pudiese decir nada, lo agarré por las solapas de la chaqueta y lo atraje hacia mí para aplastar mi boca contra la suya. Lo besé con salvaje ansia y él me devolvió el beso con la misma urgencia.

Nuestras lenguas se enredaron y lo apreté con fuerza cuando metió una mano bajo el elástico del vestido para agarrar mi culo, rozando el borde de las bragas.

Gemí en su boca, olvidándome de lo que me rodeaba. Quería tirármelo allí mismo, entre cientos de personas sudorosas y excitadas.

Blake dejó escapar un suspiro mientras se apartaba, la súbita falta de contacto me desconsoló. Claro que el desconsuelo desapareció al ver que me llevaba hacia un pasillo, lejos del caos de la pista.

Seguimos adelante hasta llegar a una zona más tranquila. A la izquierda, un hombre alto y musculoso hacía guardia frente a una puerta.

Blake se acercó al portero y cuando puso unos billetes en su mano el hombre asintió con la cabeza.

Entramos en lo que parecía una sala VIP suavemente iluminada, grande y, por suerte, desierta. Había varios sofás de cuero rojo oscuro frente a dos de las paredes y en otra un bar iluminado con todo lo que podría necesitarse en una buena fiesta.

—¿Qué es esto?

Blake cerró la puerta y me apoyó contra ella.

—Esto es donde voy a follarte sin interrupciones.

Colocó una de mis piernas sobre sus caderas y se apretó contra mí. Dejé escapar un gemido cuando me empotró, rozando mi clítoris por encima de las bragas justo como me gustaba. Deslicé mis manos por su pelo y tiré de su cabeza hacia abajo para besarlo con fuerza.

Sus manos estaban por todas partes, masajeando mis pechos a través de la fina tela del vestido antes de liberarlos fácilmente del corpiño sin tirantes.

Tomó un pezón entre los labios, acariciando el otro pecho con la mano. Un violento deseo quemaba dentro de mí, tan potente que habría hecho cualquier cosa con él en ese momento… si no fuera por mis persistentes dudas.

Una última vez, pensé. Pero…

—Espera. No deberíamos hacer esto.

Blake golpeó la puerta con las manos.

—Dios, Erica, ¿por qué quieres esperar ahora?

Me cubrí con los brazos, sintiéndome de repente demasiado expuesta. La rabia combinada con la energía sexual que emanaba Blake me asustaba. Lo había visto antes excitado, pero no así.

—Te deseo más que nada ahora mismo, pero no puedo compartirte con nadie.

—¿Qué? —Blake dio un paso atrás.

—No sé lo que hay entre Sophia y tú y no voy a decirte qué debes hacer con tu vida. Sé que puedes elegir y lo entiendo, pero lo que siento por ti… no creo que pudiera soportarlo.

Se me hizo un nudo en el pecho. Blake no era como otros hombres con los que había estado. De hecho, no se parecía a ninguno y estar con él desbarataba toda mi filosofía sobre el sexo y las relaciones.

Estaba enamorándome de él e imaginarlo con Sophia era más de lo que podía soportar.

Una infidelidad por parte de Blake me dejaría desolada.

—¿Crees que me acuesto con Sophia?

—Eso es lo que ella me dio a entender y pensé…

Él hizo una mueca, como si hubiera probado algo desagradable.

—Entonces hablaré con ella, pero quiero que sepas que no hay absolutamente nada entre Sophia y yo. Hace años que no estamos juntos.

—Heath corroboró la historia que me cuentas.

—No es ninguna historia, es la verdad. ¿Qué demonios tengo que hacer para que me creas?

—No lo sé —murmuré, apoyándome en la puerta, deseando que mi conciencia se callase de una maldita vez.

Blake dio un paso adelante, apretando mis hombros y deslizando después las manos por mis brazos, enviándome olas de alivio con esa caricia.

—Erica... —levantó mi cara con un dedo.

Nuestros ojos se encontraron y se me paró el corazón.

—Estoy aquí por ti.

Me besó profunda, lentamente, explorando cada centímetro para hipnotizarme con su lengua, haciendo que se me doblasen las rodillas. Cuando se apartó, nuestras miradas se encontraron de nuevo.

—Solo por ti.

—Eres mío —musité, borracha de su sabor y su aroma.

—Si dejases de huir de mí durante cinco puñeteros minutos, yo mismo podría haberte dicho eso.

Levanté la cara para besarlo de nuevo, lamiendo y chupando. Él gruñó a modo de respuesta, levantándome y poniendo mis piernas alrededor de su cintura.

—Ahora deja que te lo demuestre.

No sabía qué pasaría al día siguiente o el día después, pero nada se interpondría entre nosotros esta noche.

Deslizó las manos bajo mi falda y de un tirón rasgó la delicada tela de mis bragas, que tiró al suelo antes de tumbarme en uno de los sofás de piel. Se inclinó sobre mí, acorralándome con sus brazos, y me arqueé hacia él, sabiendo que no tardaría mucho en estar dentro de mí otra vez, donde lo quería desde que me fui de Boston unos días antes.

Me inmovilizó con sus caderas, empujando hacia mí, moviéndose adelante y atrás en una promesa de lo que estaba por llegar.

Desabroché su camisa rápidamente y mis pezones rozaron el suave vello de su torso mientras él me acariciaba con los dedos, deslizándolos por los húmedos pliegues antes de introducirlos poco a poco, curvándolos para tocar esa zona tan sensible dentro de mí mientras apretaba el capullo de mi clítoris con el talón de la mano.

Temblaba, estremecida, al borde del orgasmo. Blake se detuvo un momento para besar el interior de mis muslos. Intenté apremiarlo para que siguiera haciendo lo que hacía antes, pero con poco éxito.

—Por favor, Blake, no me hagas esperar.

—Quiero saborearte, cariño —replicó, bombeando dentro de mí con los dedos.

Grité, loca de deseo.

—¡Te necesito dentro de mí, ahora!

Tenía los nervios en tensión y la promesa de uno de sus implacables polvos hacía que el deseo fuese incontenible.

Por fin, apartó de mí los dedos para desabrochar el pantalón bajarlo solo lo suficiente para liberar su polla. La agarré con la mano, haciendo círculos sobre su ardiente piel, sabiendo lo que podía hacer por mí mientras lo colocaba frente a la entrada de mi sexo y lo guiaba al interior.

Lenta y profundamente, se enterró dentro de mí. La sensación fue abrasadora, intensa.

Completa.

Tuve que luchar contra la oleada de emoción que me abrumó ante ese contacto. Mis pechos pesaban y sentía que mi corazón estaba a punto de explotar.

Desesperada por olvidar lo que eso significaba, lo besé frenéticamente, nuestras lenguas enredándose en la pasión del momento.

«Necesito esto. Te necesito a ti».

Me moví inquieta debajo de él, enloquecida por la fricción de su polla dentro de mí. Quería que fuese mío y ser suya, y no quería que pensase en nadie más que en mí.

—Fóllame, Blake.

—Encantado.

Me empotró con una embestida dura y profunda, moviéndose adelante y atrás una y otra vez. Me corrí enseguida, con su nombre en los labios, las lágrimas rodando por mi cara. Intenté apartarlas antes de que pudiese verlas, pero él las interceptó con sus labios, secándolas a besos, el roce fue como un bálsamo después de la intensidad del orgasmo y el dolor de la separación esos últimos días.

Se detuvo un momento para cambiar de postura y aumentar la profundidad de sus castigadoras embestidas y me asomé al precipicio de otro orgasmo.

—Más —susurré, echando la cabeza hacia atrás, acosada por las sensaciones, pero anhelando algo, no sabía qué.

—¿Más?

—Más profundo.

Se detuvo abruptamente, dejándome frustrada. Pero entonces me tumbó boca abajo y levantó mis rodillas antes de darme un azote tan fuerte en el culo que me hizo gritar. El dolor hizo que recuperase un poco de sentido común, pero antes de que pudiese protestar introdujo su polla dentro de mí con tal fuerza que me dejó sin aliento.

Luego se apartó para hablarme al oído, dejándome vacía y anhelante.

—Nada de seguir huyendo, Erica. Lo digo en serio —su voz era ronca, su aliento ardía sobre mi cuello.

—Blake, por favor —gemí, empujando hacia él.

—Prométtelo.

—Sí, lo prometo.

Se irguió y volvió a darme un azote fuerte, la quemazón del castigo y la invasión de su polla al mismo tiempo haciéndome temblar.

Se apartó de nuevo, pero empujé hacia atrás, la necesidad de tener un orgasmo con él dentro de mí destruía mis inhibiciones.

Blake respondió a mi ruego empujando con un ritmo constante y cuando su mano hizo contacto con mi trasero una vez, tensé los músculos vaginales de forma incontrolable, triturando su polla con las paredes de mi coño.

—¡Más! —grité.

Él retomó el ritmo, sin romper el contacto, rompiéndome con cada controlado azote. Temblaba de arriba abajo, todos los músculos de mi cuerpo en tensión mientras me llevaba a otra cumbre una vez más.

Gimoteando de placer, clavé las uñas en la cara piel del sofá y me corrí con un grito que seguramente habría oído el gorila de la puerta.

Blake se liberó también, vaciándose dentro de mí con un trémulo jadeo, su aliento quemando mi cuello. Se quedó inmóvil un momento y luego me tomó por la cintura para darme la vuelta, recibiéndome con un beso suave.

—Ha sido… diferente —susurré, agotada y medio borracha.

—Te ha gustado.

Suspiré, apretando las piernas en su cintura.

Él esbozó una sonrisa.

—Para ser tan mandona, se te da muy bien el papel de sumisa.

Lo miré con los ojos como platos.

—Yo no me describiría como «sumisa».

—Lo dices como si fuera algo feo.

—Para mí lo es. Yo no…

—Espera, deja que te haga una pregunta. ¿Quieres que vuelva a hacerlo?

Parpadeé, avergonzada porque iba a obligarme a admitirlo. Recibir un par de azotes en el calor del momento era diferente a reconocerlo así, en frío.

—No lo sé. Tal vez.

—Estupendo porque pienso volver a hacerlo —dijo con voz ronca.

Por su expresión hablaba en serio y sentí un hormigueo en la piel, ardiente y ansiosa de nuevo.

Quería discutir, negarlo, decirle que se fuese a tomar por saco, pero me excitaba solo de pensarlo.

—Me haces desear cosas que no sé si deseo.

—Puedes querer cosas diferentes en la cama a las que quieres en la vida normal. Y prometo no azotarte en público. —Su expresión se suavizó con una sonrisa mientras volvía a acariciarme—. A menos que seas una chica muy mala…

Se metió un pezón en la boca y rozó la punta con los dientes.

Ah, eso me encantaba. Jadeé, notando que volvía a estar húmeda.

—Seré buena —le prometí.

—Lo dudo mucho.

—¿Tan mala soy?

Sus ojos se oscurecieron, pero una sonrisa suavizaba la inquietante expresión.

—Puede que quieras acostumbrarte a la idea del castigo.

Blake chupó el pezón con fuerza y luego lo apretó entre dos dedos, creando la perfecta medida de dolor y placer. Gemí, pero él siguió.

—¿Cómo voy a saber que esta no es la primera fase de tu dominación sobre mi vida? Primero el apartamento, ahora esto…

Suspiré, apenas capaz de hilar una frase en aquel estado de frenética excitación.

—Es una idea interesante, pero no creo que me dejases salirme con la mía.

Empezó a rozar mis clavículas con los labios, chupando mi cuello sin dejar de apretar mis pezones…

Cuando empujé mis pechos hacia él se apartó, esbozando una sonrisa de satisfacción mientras se levantaba del sofá. Seguía empalmado, una emocionante demostración de aguante, pero hice una mueca de desilusión cuando volvió a esconder su polla dentro del calzoncillo.

—No hagas pucheros, voy a llevarte a casa —anunció, con la promesa del sexo brillando en sus ojos.

Veinte minutos después entrabamos en el *loft*. Tuve a Blake debajo de mí en el edredón rojo de la habitación de invitados en cuestión de segundos, exactamente donde había querido tenerlo durante esos días.

Después de su castigo y de la extraña conversación sobre ser sumisa, seguía loca de deseo por él. Frenética, le quité la camisa, lamiendo y chupando la piel de su vientre mientras sacaba su polla del pantalón.

En silencio, Blake se sentó en la cama para quitarme el vestido.

Desnuda y anhelante, dejé que mis manos pasearan por su ardiente piel mientras él trazaba los contornos de mi pecho con la boca, adorándome centímetro a centímetro. Su suave aliento calentaba mi piel, cada vez más sensible, incrementando el deseo.

—Erica, tu cuerpo es asombroso —susurró con voz ronca.

Casi podía saborear su deseo, la determinación de poseerme de todas las formas posibles y en todos los sentidos.

Acarició mis brazos desde los hombros a las muñecas, sujetándolas a mi espalda con una mano. Mordiéndome los labios, decidí darme placer a mí misma con el poco movimiento que me permitía, frotando mi clítoris contra su polla hasta que estaba temblando de deseo.

Cuando apretó mis muñecas, un miedo irracional hizo que me quedase inmóvil, mis pechos empujaban desvergonzadamente hacia él, mi corazón latía frenético mientras luchaba contra un instinto que no me permitía darle a un hombre tanto control sobre mí.

—Blake, no sé… —Mi voz temblaba con una mezcla de miedo y deseo mientras me mantenía cautiva.

Él me silenció con un tierno beso.

—Voy a cuidar de ti, cariño.

Su tono no dejaba dudas y su expresión era calmada y segura, más controlada de lo que yo podría estarlo en esas circunstancias.

Lo miré a los ojos y me dolió el corazón al reconocer lo que sentía por aquel hombre.

—Nunca te haría daño. —Trazó mis labios con la yema del pulgar.

Podía confiarle mi cuerpo. Con él, nunca me había sentido más segura y más vulnerable a la vez. La tensión de mis músculos, que me tenía casi lista para luchar, se esfumó.

Dispuesta a entregarme a lo que él hubiese planeado, le devolví el beso. Mi corazón latía alocado, la pasión haciendo que superase el miedo.

Blake me sujetó por las caderas con un brazo, levantándome ligeramente, y con cuidado deslicé la ardiente cabeza de su erección dentro de mí mientras él tomaba un erecto pezón entre los labios, dando golpecitos en la punta con la lengua y los dientes, como había hecho en la discoteca.

La doble sensación me abrumaba, pero también me mantenía cautiva.

No podía liberar la energía que recorría todo mi cuerpo tocándolo o apresurando los movimientos. En lugar de eso, la energía se quedaba en mi interior, creciendo como una bola de fuego en busca de oxígeno, esperando explotar e inflamar todo a mi alrededor.

Él arqueó la pelvis, empujando hacia mí una y otra vez, haciendo que yo no tuviese que moverme. Hacía círculos en mi clítoris con el pulgar, llevando el control de todos mis movimientos hasta que llegué peligrosamente al borde del éxtasis. Mis músculos estaban en tensión, rebelándose contra los lazos de sus fuertes manos que me sometían a su voluntad.

—Ahora puedes sentirlo todo, ¿verdad, cariño?

Cuando pronunció esas palabras, de repente tomé conciencia de todos los sitios en los que nuestros cuerpos estaban en contacto: su enorme polla clavada dentro de mí, sus dedos tocando las notas de mi deseo como una canción que conocía bien. Temblé, sintiendo que perdía más y más la cabeza con cada segundo que pasaba.

—Sí... es asombroso.

—Tenías razón, Erica. Voy a hacer que desees cosas que no creías desear.

Dejó de prestar atención a mi clítoris para levantar mis caderas otra vez, empujando con fuerza una y otra vez. Un grito de impotencia escapó de mi garganta al notar que estaba a punto de correrme.

—Vas a querer que te sujete mientras te follo, que controle tu cuerpo.

—Blake, por favor...

—Lo quieres ahora, ¿verdad?

—Sí, ahora. Lo quiero todo.

Los espasmos eran incontrolables, sus eróticas palabras estimulando un ansia desconocida.

Me soltó entonces para tumbarme de espaldas, cubriendo mi cuerpo con el suyo. Se lanzó sobre mí, empalándome con poderosas embestidas que nos empujaban hacia el cabecero y que me llevaron directamente hasta un orgasmo alucinante, como un ardiente relámpago por todo mi cuerpo.

Pronuncié su nombre en un sollozo, pasando los dedos por su espalda, poniéndome rígida cuando el fuego que había dentro de mí explotó a nuestro alrededor.

—¡Blake!

—Estoy aquí, Erica.

El deseo hacía que su voz sonase como un gruñido animal mientras clavaba mis caderas a la cama con una última y salvaje embestida.

Nos quedamos inmóviles durante unos segundos, con las piernas enredadas, atados el uno al otro por la experiencia mientras una oleada de alivio y felicidad encogía mi corazón.

Moví una mano sobre su pelo, mojado por el sudor, mientras él trazaba mi cara con la punta de los dedos, sin dejar de mirarme a los ojos, como transfigurado, con una intensidad casi reverente.

Nunca me había sentido tan conectada con otro ser humano. Nadie podía hacerme sentir así, tan desnuda, tan descarnada.

Empecé a relajarme mientras él depositaba besos suaves como pétalos en mis hinchados labios, susurrando cositas en mi oído hasta que me quedé dormida entre sus brazos.

Cuando desperté unas horas después estaba amaneciendo y Blake me sujetaba entre sus brazos, impidiendo cualquier remota posibilidad de escapar.

Me giré ligeramente para mirarlo, pero al moverme aumentó la presión en mi cintura. Su rostro estaba relajado y sereno.

Sonreí. Estaba donde quería estar, pensé, pasando un brazo sobre el suyo, apretándolo contra mí mientras intentaba volver a conciliar el sueño.

De repente, el teléfono de Blake empezó a sonar y, después de un par de llamadas, saltó de la cama para sacarlo del pantalón.

—¿Qué ocurre?

Qué extraña forma de empezar una conversación, pensé.

—¿Dónde estás? —oí que preguntaba, sujetando el teléfono contra el oído mientras tomaba su ropa del suelo—. Muy bien, llegaré en diez minutos.

Cortó la comunicación y siguió vistiéndose, como si hubiera olvidado que yo estaba allí.

—¿Qué pasa?

Blake hizo una pausa para mirarme con expresión preocupada. ¿Qué demonios podía haber pasado para que tuviera que irse en ese mismo instante?

—Lo siento, tengo que solucionar un asunto urgente, pero no tardaré mucho.

—¿Puedo ir contigo?

—No, haz la maleta. Nos iremos a Boston en cuanto vuelva.

—No puedo irme, tengo una reunión mañana —respondí, mirando mi reloj—. Hoy en realidad.

—¿Con quién?

—Voy a comer con Isaac Perry.

—Cambia la cita —me ordenó sin vacilación—. Voy a sacarte de aquí.

—¿Se puede saber qué coño pasa?

Me crucé de brazos, a la defensiva, un poco insegura al estar desnuda mientras él se había vestido.

Blake suspiró pesadamente.

—No puedo explicártelo ahora mismo.

—Pues nada, me quedo. Nos veremos en Boston —me levanté de la cama envuelta en la sábana.

—Te aseguro que nos vamos de aquí —insistió Blake con gesto decidido, un gesto que ya conocía bien—. Te lo explicaré todo cuando vuelva.

Lo miré fijamente, deseando poder creerlo, pero Blake se acercó y tomó la decisión por mí con un beso que me hizo desear tener diez minutos más.

—Volveré pronto —prometió antes de salir de la habitación.

Duchada y con la maleta hecha, me maldije por dejar que Blake me hubiera convencido para cambiar la reunión con Isaac. Y, por fin, volví a quedarme dormida mientras lo esperaba.

Horas después, Blake estaba sentado a mi lado en la cama, sacudiendo suavemente mi hombro.

—Hora de irnos, cariño —dijo en voz baja y tierna.

—¿Todo ha ido bien? —pregunté, intentando despertar del todo.

—Vamos, hablaremos en el coche.

Se levantó para tomar mi bolsa de viaje y, después de hacer un rápido inventario para comprobar que no me dejaba nada, lo seguí.

Me despedí de Nueva York en silencio mientras salíamos de la ciudad, pensando que no me había despedido de Alli. La llamaría más tarde, mucho más tarde, cuando Heath y ella hubieran dormido después de la que, sin duda, habría sido una noche muy larga.

—¿Vas a contármelo? —le pregunte por fin.

Blake se limitó a apretar el volante con fuerza.

—¿Quién te ha llamado antes?

—Alli.

¿Alli? Fruncí el ceño, sorprendida. ¿Por qué tenía mi amiga el número de Blake? Daba vueltas a las posibles respuestas, pero no me cuadraba ninguna.

—¿Por qué te ha llamado?

—Supongo que Alli no te lo ha contado para no preocuparte, pero Heath tiene un problema con las drogas. Pensé que lo había superado, pero parece que ha recaído.

Dejé escapar el aliento, intentando entender aquel giro de los acontecimientos. Entonces empecé a conectar los puntos y todo sumaba. Su aspecto agotado por la mañana, que se acostase tan tarde, y esa sensación de desconfianza que no podía quitarme de encima cuando estaba con él.

—¿Qué tipo de drogas?

—Cocaína sobre todo.

—Alli —susurré, cubriéndome la boca con una mano temblorosa. ¿Cómo podía estar con un drogadicto?

Aquello era serio. ¿Y si ella también había empezado a consumir drogas por su culpa? Eso explicaría su esquiva actitud, la pérdida de peso…

—Alli no consume drogas —dijo Blake como si hubiera leído mis pensamientos.

—¿Cómo lo sabes?

—Me lo ha dicho ella y la creo. Después de años lidiando con Heath, sé cuándo me están mintiendo. Alli no es drogadicta, te lo aseguro.

Asentí, aliviada y sintiendo compasión por Blake. ¿Cuánto tiempo llevaba lidiando con esa situación, solucionando los problemas de su hermano?

—¿Qué pasó anoche?

—Inicío una pelea en la discoteca y cuando la policía lo registró encontraron drogas, la misma historia de siempre.

—¿Y ahora qué?

—Ha estado en la comisaria toda la noche. Ya me he encargado de que se pagara la fianza, pero tendré que llevarlo a rehabilitación para que no vuelva a la cárcel.

¿Volver a la cárcel? ¿De modo que ya había estado allí?

—¿Qué piensas hacer?

—Estoy pensando llevármelo de Nueva York. Coca, modelos y discotecas… al parecer no se puede tener lo uno sin lo otro y Heath no es capaz de apartarse por voluntad propia.

Intenté digerir todo aquello, reuniendo las piezas como un rompecabezas. ¿Durante cuánto tiempo me lo habría escondido Alli? Primero Sophia y ahora aquello. En cuestión de semanas había tantos secretos entre nosotras… tal vez no estaba mintiéndome, pero sí ocultando la verdad y me parecía lo mismo.

—¿Es así como conociste a Sophia?

No quería sugerir que ella tuviese algo que ver, pero tenía que saberlo.

Blake se quedó callado durante largo rato.

—La conocí por Heath, sí.

Parecía estar decidiendo si debía contarme algo más.

—Supongo que podríamos decir que era de su pandilla, o él de la suya, no lo sé. Empezamos a vernos de vez en cuando hasta que se lio con Heath mientras yo estaba fuera.

—¿Se acostó con tu hermano?

—Ninguno de los quiere admitirlo —Blake se encogió de hombros—. Yo ni siquiera sabía que tuvieran un problema hasta que aparecí en una de sus fiestas sin avisar y los encontré tirados uno encima del otro. Decidí no preguntar y supuse lo peor.

—¿Y qué hiciste?

—Enviarlos a rehabilitación y amenazar con no darles dinero hasta que estuvieran curados. Cuando Sophia terminó el programa, rompí con ella. No se lo tomó bien, pero decidí ayudarla a empezar de nuevo.

—Por eso has invertido en su negocio.

Me miró con cara de sorpresa. Seguramente estaba dispuesto a hacer lo que fuese para ayudarla, sabiendo que una ruptura total la haría caer de nuevo en la droga. ¿Estaría enamorado de ella?

—Sí, pero nuestra relación termina ahí.

—Te creo —admití. Y era cierto.

—Estupendo.

—¿Y qué va a hacer Alli ahora?

—Puede quedarse en el apartamento hasta que encuentre otra cosa.

—Pero su relación con Heath…

Nunca había visto a mi amiga tan enamorada, ¿pero podía apoyar su relación con Heath cuando tenía tantos problemas? Y problemas serios, además.

Tuviese o no un hermano multimillonario, Heath era adicto a las drogas y pensar que Alli estaba enamorada de él me resultaba desconcertante.

—Ella tendrá que tomar una decisión, pero no quiero que te involucres —dijo Blake con tono decidido.

Fruncí el ceño.

—¿Qué quiere decir eso?

—Que no quiero que te acerques a Heath o a su círculo de amigos hasta que esté curado del todo. Y eso incluye a Alli.

—¿Estás diciendo que no puedo ver a mi amiga?

Tal sugerencia me dejó helada.

—Si Alli decide quedarse con él es su problema, pero no quiero que te acerques a ellos.

Su tono dominante me enfureció y me cocí en mi propia salsa mientras intentaba encontrar la forma de replicar. Necesitaba un café.

—¿Te apetece desayunar?

Miré por la ventanilla, negándome a responder. Después de unos tensos minutos de silencio, Blake salió de la autopista y aparcó frente a un restaurante de carretera. Apagó el motor y, como era su costumbre, dio media vuelta para abrirme la puerta.

Cuando salí del coche me envolvió en sus brazos, apoyándome en la puerta y apretándose contra mí. Demasiado cerca para lo enfadada que estaba con él.

—Necesito que lo entiendas.

—¿Entender qué, tu enfermiza necesidad de controlar todo y a todos los que te rodean?

—¿Conoces a alguien que tenga una adicción?

Iba a intentar convencerme de que controlar mi vida era algo normal, claro.

—No —tuve que admitir, sin mirarlo.

—Mejor para ti. Es mejor alejarse de esa gente.

—Tú no puedes decidir a quién veo y a quién no, Blake. Dijiste que no estabas interesado en dominarme en ese sentido y yo no voy a permitirlo.

—No dije eso y, además, esto es diferente.

—Ah, claro.

Estaba temblando, petrificada al pensar que en el fondo Blake quería… o tal vez necesitaba controlarme; una expectativa que parecía enraizarse más en nuestra relación con cada segundo que pasaba.

—Erica, para.

—¿Parar qué? Yo nunca he tenido que darle explicaciones a nadie y no voy a dártelas a ti, así que puedes meterte tus órdenes por donde te quepan.

Intenté apartarme, pero él me atrapó contra el coche.

—Erica…

—No vas a convencerme.

Mientras se pasaba las manos por el pelo en un gesto de impaciencia lo fulminé con la mirada, pero en sus ojos vi una tormenta de emociones. Estaba rogándome sin palabras que lo creyera.

—Me importas, estoy enamorándome de ti y haré lo que sea para protegerte. ¿Lo entiendes?

Mi corazón se volvió loco.

«Mierda, mierda, mierda».

Nada podía afectarme más que esas palabras. Me sudaban las manos y las froté nerviosamente sobre los vaqueros cuando el silencio se alargó.

—Heath ha destrozado a mi familia con esa adicción. Mis padres no dejan de preguntarse qué hicieron mal y yo hago lo que puedo para ponerlo en el buen camino, rezando para conseguirlo antes de que muera de una sobredosis cualquier día de estos.

Me relajé un poco, agradeciendo su sinceridad. No entendía las emociones que se amotinaban dentro de mí. Necesitaba café y necesitaba dormir. Pero sobre todo necesitaba alejarme de Blake, de esa burbuja de sexo increíble e intensidad emocional que me tenía aprisionada. Ya estaba suficientemente jodida sin todo eso.

Sacudí la cabeza, intentando concentrarme en la conversación porque no estaba dispuesta a dejar que me diese órdenes.

Esa declaración de amor me había pillado por sorpresa, pero teníamos que llegar a un acuerdo y me preocupaba que Blake no estuviese acostumbrado a ceder.

Tomé aire mientras ponía las manos sobre su torso. Los latidos de su corazón se aceleraron, al mismo ritmo que los míos.

—Alli es mi mejor amiga y si decide quedarse con Heath yo tendré que apoyarla, como te apoyaré a ti.

Durante un segundo pareció perdido, pero enseguida se enderezó, mirándome con gesto circunspecto.

—No necesito tu apoyo, Erica. Yo estoy acostumbrado a lidiar con esto, pero no quiero que te hagan daño. No podría soportarlo.

Mi enfado desapareció, reemplazado por un abrumador deseo de ayudarlo.

—No puedes rechazar la ayuda de alguien a quien le importas.

Blake cubrió mi mano con la suya, apretándola ligeramente.

—Ha sido una noche muy larga. Hablaremos de esto más tarde... cuando no estemos tan cansados.

Suspiré, aceptando que, por el momento, estábamos de acuerdo en no estar de acuerdo.

15

El ruido del timbre no cesaba y escondí la cabeza bajo el edredón, agarrándome al sueño y deseando que Alli abriese la maldita puerta.

«Ay, mierda».

Abrí los ojos y me senté de golpe. Estaba de vuelta en Boston, en mi apartamento. Salté de la cama para dirigirme a la puerta, sin ver señales de Sid.

—¿Sí? —pregunté, pulsando el botón del portero automático.

—Hola, guapa —escuché una voz familiar.

—Sube, Marie —sonriendo, pulsé el botón que abría el portal y me dispuse a hacer café, mirando el reloj sobre la cocina.

Me había perdido el almuerzo, y casi toda la tarde, y mi estómago estaba protestando.

«El café lo primero».

Marie apareció unos minutos después, fresca como una rosa con su vestido de flores, los brillantes colores haciendo un contraste estupendo con su envidiable color de piel.

—Vaya, qué sitio tan bonito.

No estaba mal. El salón parecía menos vacío desde que llegaron los muebles. Sid lo había montado todo mientras yo estaba en Nueva York y aún no le había dado las gracias, pero lo haría. Además, por una vez teníamos el mismo horario.

—Gracias, la verdad es que me encanta. ¿Café?

—Agua mejor —Marie dejó en el suelo la bolsa que llevaba y se sentó en un taburete para mirarme con expresión seria.

—No tienes buen aspecto, Erica. ¿Va todo bien?

Suspiré. Me sentía agotada y seguramente se notaba.

—Una noche larga y una historia más larga aún. Te ahorraré los detalles —respondí, deseando que el café estuviera listo.

Necesitaba unos minutos para despertar del todo y entender mi realidad antes de hablar de ella.

—¿Qué te cuentas? ¿Algo nuevo sobre Richard?

—Bueno, no sé —se encogió de hombros, tomando el vaso de agua—. Él tiene su vida, yo tengo la mía. Ya veremos cómo va.

—No estoy oyendo campanas de boda —me apoyé en la barra para mirarla.

Marie había tenido muchos novios y estaba acostumbrada a escuchar sus historias sobre el potencial como marido de cada nuevo ligue. Aunque tenía un corazón bondadoso, no parecía capaz de encontrar al hombre de su vida, pero era una romántica empedernida y merecía encontrarlo más que nadie.

—Lo dudo mucho. Los dos estamos acostumbrados a nuestra libertad... no sé, supongo que cuando te haces mayor es más difícil cambiar tu vida por alguien —suspiró, dejando el vaso sobre la encimera—. A veces echo de menos los días en los que podía perderme en otra persona.

—Eso no suena muy sensato.

—Tal vez no lo sea siempre, pero es maravilloso. No hay nada igual. Deberías probarlo alguna vez —me hizo un guiño.

—Desgraciadamente, creo que en este momento estoy hasta el cuello.

—¿Por el hombre misterioso?

Solté un bufido, pensando que Marie no sabía ni la mitad de mi historia con Blake.

—Sí, el hombre misterioso. Se llama Blake y vive en el piso de arriba.

Ella enarcó una ceja.

—¿Me he perdido algo?

—Es complicado, pero parece que quiere estar conmigo. Y yo también, creo.

Hice una mueca, sin saber cómo poner en palabras lo que sentía por Blake.

—¿Entonces cuál es el problema?

Me serví una taza del café que aún se estaba haciendo para ver si me espabilaba.

Tenía razón. Incluso yo empezaba a cuestionar por qué me esforzaba tanto en controlar mis sentimientos por Blake.

—Que me da miedo —dije por fin—. Para empezar, es algo muy intenso. Yo nunca he necesitado a nadie, pero cuanto más tiempo paso con él… en fin, no puedo pensar en otra cosa. Me distrae demasiado.

Cerré los ojos, intentando ordenar mis pensamientos, aunque era una tarea imposible. Veía a Blake en todas partes, incluso cuando no estábamos juntos. Y cuando no estábamos juntos quería estar con él. Evidentemente, el sexo era fabuloso, incomparable, pero aunque no estuviéramos devorándonos el uno al otro, estar con él siempre era interesante, divertido, emocionante.

No tenía nada con lo que compararlo, aparte de una lista de revolcones sin lustre con hombres que mataban el tiempo conmigo hasta que sus padres los obligaban a casarse con la hija del algún senador o algo así. No, no había comparación.

—Estás loca por él, cariño —dijo Marie.

—Lo sé, pero no quiero perder la cabeza. He llegado hasta aquí y sé quién soy. Me gusta mi vida y mi independencia, como a ti. ¿Por qué iba a cambiar todo eso por alguien a quien apenas conozco?

—No se trata de perder la cabeza sino de perderte a ti misma en otra persona, cariño. Con la persona adecuada, quién eres cuando estáis juntos es algo muy grande, mucho más de lo que puedas imaginar ahora mismo.

Sus palabras me afectaron en lo más hondo y tuve que parpadear para controlar las lágrimas.

—Creo que estoy enamorada de él —susurré- y eso me da pánico.

Marie saltó del taburete para abrazarme y le devolví el abrazo, agradecida por tenerla en mi vida.

¿Pero cómo iba a entregar mi corazón a alguien como Blake? Tenía tantos secretos, por no decir serios problemas de control. Era incapaz de imaginar cómo podríamos establecer una relación a largo plazo con todos esos obstáculos. Y si no lo conseguíamos, ¿cómo iba a sobrevivir después de todo lo que había tenido que superar hasta ese momento?

—Tengo algo para ti.

Marie interrumpió mis atribulados pensamientos apartándose para sacar una vieja caja de zapatos de la bolsa que había dejado en el suelo.

Sorprendida, la dejé sobre la encimera. Dentro había un montón de fotos de mi madre de la época universitaria, cuando Marie empezó a interesarse por la fotografía.

—Las encontré cuando estaba limpiando los armarios. Creo que deberías tenerlas tú.

Estudié cada foto, en silencio; el rostro de mi madre y su sonrisa calentaban mi corazón. En momentos como aquel, la echaba de menos como nunca.

Intenté recordar su voz y su risa. Había pasado mucho tiempo, pero el recuerdo de su cariño era imborrable, una melodía sin música ni letra que no podrían matar ni el tiempo ni la ausencia.

Marie se inclinó para mirar por encima de mi hombro, como si estuviera viendo las fotos por primera vez en mucho tiempo, explicándome en qué zona del campus estaban o qué hacían en cada momento.

En una de ellas, mi madre estaba con un grupo de cinco amigos, todos con chaquetas demasiado ligeras para un frío día de otoño, a juzgar por el follaje que había tras ellos.

Algo en esa foto llamó mi atención.

Mi madre estaba riendo, su largo pelo rubio tapándole un poco la cara mientras miraba al hombre que estaba a su lado. Al contrario que los demás, sus expresiones revelaban algo más que la frivolidad del momento; era una mirada de adoración que solo recientemente había empezado a entender.

—¿Quién es? —pregunté, señalando al hombre de pelo rubio oscuro y ojos azules.

Cuando no respondió me volví y la vi sacudiendo la cabeza.

—Un viejo amigo, supongo. No me acuerdo.

—Parece que mi madre lo conocía bien.

—Patty tenía muchos amigos, era muy carismática. La mitad del campus estaba enamorado de ella, te lo juro.

—Marie…

—Erica, no sé quién es. Ojalá pudiera decírtelo.

De repente, tomó su bolso para retocarse el maquillaje frente a un espejito de mano.

Marie era liberal, enérgica y un poquito inmadura a veces, pero no sabía mentir. Estaba ocultando algo y sospechaba el porqué, pero no insistí.

—Cariño, tengo que irme. Llámame para contarme cómo va lo de Blake, ¿de acuerdo?

Mi amiga y protectora sonreía como si no hubiera pasado nada.

—Lo haré. Buena suerte con Richard.

Su respuesta fue una risita floja que no me hacía concebir grandes esperanzas para su nuevo amante.

Marie abrió la puerta y chilló cuando estuvo a punto de tropezar con Blake, que parecía tan sorprendido como ella.

—Blake, mi amiga Marie —los presenté, riendo.

—Encantado —la saludó él, con una sonrisa de las que te aceleraban el corazón.

Marie murmuró algo ininteligible antes de dar media vuelta, haciéndome un guiño.

Blake se apoyó en el quicio de la puerta, con una camiseta blanca, descalzo y recién duchado, las manos en los bolsillos del pantalón corto. Solo él podía estar tan increíblemente sexy con ese atuendo.

—¿Quieres que pida comida para llevar?

—La verdad es que suena genial. Aún estoy agotada.

—Yo también. ¿Comida tailandesa?

—Estupendo. Nos vemos arriba, tengo que cambiarme —señalé mi pijama.

—No tienes que hacerlo. La ropa es opcional, ya sabes.

Puse los ojos en blanco mientras le daba una palmadita en el hombro, intentando disimular una sonrisa antes de volver a mi habitación.

—Dios mío —dejé escapar un suspiro de gozo—. Creo que no volveré a cocinar nunca más.

—No voy a permitir eso —protestó él entre bocados, comiendo fideos directamente del envase del restaurante.

Estábamos de broma, pero aquella tenía que ser la mejor comida tailandesa que había probado nunca. Después, nos dejamos caer en el sofá, ahítos y exhaustos.

—¿Quieres ver una película? —me preguntó.

—¿En el cine?

—No, podemos quedarnos aquí… a menos que quieras ir al cine.

—¿Y la regla de no tener aparatos electrónicos en casa?

—Es más bien una guía, no una regla.

Abrió un cajón de la mesa de café del que sacó un mando a distancia y una enorme pantalla de televisión salió de su escondite en la pared cuando pulsó un botón.

—Elige lo que quieras mientras yo limpio un poco la cocina.

Recogí los envases, pero cuando llegué a la cocina mis ojos se clavaron en una caja de terciopelo negro que estaba sobre la encimera. Intenté ignorarla y concentrarme en tirar las sobras a la basura, aunque no era fácil.

—Es para ti —dijo Blake, apoyándose en la encimera.

—¿Para mí? —abrí los ojos como platos.

—Quería dártelo en Nueva York, pero salimos corriendo y no tuve tiempo. Venga, ábrela —me animó, con ese tono ronco y sexy que me hacía olvidar hasta mi propio nombre.

Tomé la caja con cierta prudencia, pero era incapaz de abrirla. Después de unos segundos, él mismo levantó la tapa, descubriendo dos pulseras de diamantes con un amuleto colgando del cierre.

Tomé una e identifiqué el amuleto como una ruleta de platino en miniatura.

—Por ser mi amuleto de la suerte —murmuró.

Sonreí al recordarlo. Había tenido suerte, estaba de acuerdo.

Tomé la otra pulsera, de la que colgaba un corazón delicadamente labrado. Mi propio corazón empezó a latir como loco.

—Cada amuleto tiene un significado.

Blake dejó a un lado la caja para ponerme las dos pulseras y depositó un suave beso en mi muñeca.

—Gracias.

Me temblaba la voz mientras admiraba aquellas joyas tan sencillas y elegantes. Conociendo a Blake, sin duda habrían costado una pequeña fortuna, pero el significado de ese regalo me dejó perpleja.

Había estado recordando sus palabras durante toda la tarde, preguntándome si habría dicho que estaba enamorándose de mí por capricho o, sencillamente, para que dejase de protestar. Pero el regalo confirmaba sus sentimientos.

Me había quedado sin palabras, pero me habría gustado decirle que yo también lo quería. Intentar convencerme de lo contrario era ridículo y lo que significaba su declaración estaba rompiéndome por dentro. Quería que lo supiera, pero algo me mantenía en silencio.

Jugué con las pulseras, nerviosa. El roce del frío metal en mi piel y el suave repiqueteo de los amuletos siempre me recordarían a él, aunque estuviésemos separados.

Antes de que pudiese decir nada, Blake tomó mi cara entre las manos y se inclinó para besarme. Le devolví el beso con toda la pasión que sentía por él, acariciando suavemente su pelo, diciéndole con ese beso lo que no podía decir con palabras. Y él me lo devolvió con la misma intensidad, levantándome con sus fuertes brazos.

—Erica…

—Calla.

Puse un dedo sobre sus labios. No quería escuchar esas palabras de nuevo sabiendo que no podía corresponder. En lugar de eso lo besé suavemente, cerrando los ojos para evitar su mirada.

Antes de que el beso se nos escapara de las manos me llevó de vuelta al salón.

Aliviada, me puse cómoda entre sus brazos cuando empezó la película, disfrutando del momento. No recordaba haberme sentido tan plenamente feliz con nadie.

Sin palabras, sin expectativas, pasamos dos horas relajándonos y olvidando el drama de los últimos días hasta que me quedé dormida en sus brazos.

El apartamento estaba oscuro y silencioso cuando desperté. Sin decir nada, Blake me llevó en brazos al dormitorio como si no pesara y, después de dejarme sobre la cama, me ayudó a desnudarme.

Relajada después del sueño, una nueva energía renació en mí. Mi piel despertaba a la vida con el roce de sus manos.

—Pensé que estarías cansada.

—Ya no lo estoy.

Me quité el top y el sujetador, terminando lo que él había empezado, y me metí en la cama para esperarlo.

—Veo que tienes intención de mantenerme ocupado —bromeó mientras se quitaba la camiseta.

—Eres tú quien dijo que las relaciones podían ser una distracción.

—Porque esperaba ser esa distracción.

Se bajó el pantalón, descubriendo su miembro erguido y orgulloso. A la suave luz de la habitación era sencillamente soberbio. Las sombras jugaban con los esculpidos ángulos de su cuerpo y tuve que morderme los labios mientras lo admiraba.

—Entonces, distráeme todo lo que quieras.

Se metió en la cama, el colchón venciéndose bajo su peso.

—Túmbate y hare algo más que distraerte.

Me eché hacia atrás y él me quitó las bragas, lanzándose de cabeza entre mis muslos para lamer la tierna carne con experta delicadeza. Gemía, haciendo vibrar los delicados tejidos con los suaves roces de su lengua.

—Me encanta estar así —musitó, su aliento una caricia sobre mi húmeda piel—. Podría estar lamiendo tu dulce coño durante todo el día.

Sus palabras me pusieron los nervios en tensión, la promesa del placer rugió como una tormenta dentro de mí.

Clavó los dedos en mis caderas para sujetarme cuando arqueé la espalda. Intenté contenerme, agarrándome al embozo de las sábanas mientras el orgasmo iba acercándose. Grité, mi cuerpo estaba fuera de control, pero antes de que hubiera terminado la última sacudida se colocó entre mis piernas y empujó, levantando mis caderas para llegar hasta lo más profundo con la primera embestida.

Me quedé sin aliento.

—Me gusta tanto —susurré.

Se movía despacio, con un ritmo que yo seguía encantada. Lento e intenso. Nada me había gustado más… era como volver a casa. Allí era donde quería estar cada noche, entre sus brazos, disfrutando del peso de su cuerpo sobre mí, a mi alrededor, dentro de mí, llenándome por completo y follándome sin descanso hasta que desaparecíamos el uno en el otro, hasta que sentíamos esa magia.

—Dios, Erica, tu coño es tan firme —murmuró sobre mi cuello—. Eres perfecta.

Dejé escapar el aliento y una oleada de amor ciego se fue con él. Sentí un escalofrío. Estaba loca si pensaba que podría seguir adelante sin él, sin aquello. Era suya en todos los sentidos. Nunca lo había deseado tanto y no quería que aquel momento terminase nunca.

Hicimos el amor despacio, aunque no con menos pasión. Envuelta en su aroma y sus caricias, me agarré a los rígidos planos de su musculoso cuerpo y a la promesa de que saciaría el ansia que me consumía cada vez que estábamos juntos.

Me sujetó con fuerza cuando un nuevo orgasmo empezó a desatarse, lento y firme, mientras el placer se apoderaba de mí. Abrumada por las emociones, cerré los ojos, pero Blake se detuvo.

—Mírame —susurró.

Mi cuerpo respondió por instinto a esa orden. Abrí los ojos y la pasión y el amor que vi en los de Blake hizo que se me encogiera el corazón.

No podía negar que amaba a aquel hombre.

16

Cuando desperté, el sol ya había salido y Blake no estaba a mi lado, pero había dejado una nota.

Buenos días, jefa

Te he hecho una ensalada de fruta para desayunar, está en la nevera. Nos vemos esta noche.

Besos, Blake

Mi estómago dio un pequeño vuelco, como te pasa cuando subes a la montaña rusa en un parque de atracciones. Porque eso era Blake, una montaña rusa.

Entré en la cocina y encontré un cuenco con ensalada de fruta en la nevera. Sonreí mientras lo llevaba a mi apartamento, junto con la nota, que pegué en el corcho de mi habitación.

Me duche y vestí, intentando concentrarme en la tonelada de trabajo que tenía por delante.

Pasaron unas cuantas horas y por fin empezaba a hacer progresos cuando Sid entró en el apartamento y se detuvo abruptamente.

—Has vuelto.

—Pues sí. ¿Dónde estabas?

Miré por encima de mi ordenador. Estaba despeinado y tenía ojeras.

—Con una chica, Cady… vive abajo.

—¡No te creo!

—Ah, muy bien —Sid frunció el ceño.

—No, sigue, es una manera de decir: «cuéntamelo todo».

—Tiene el nuevo juego de *Call of Duty*, así que nos acostamos muy tarde. Me quedé a dormir allí.

—¿Te gusta?

Sabía que estaba metiéndome donde no debía, pero era un progreso y con Cady siendo tan tecnoadicta y poco convencional como él, aquello podría funcionar.

—Es muy agradable.

Metió las manos en los bolsillos de su pantalón, claramente nervioso.

—Me alegro —intenté controlar mi entusiasmo—. Oye, gracias por montar los muebles.

—De nada. La verdad es que resulta divertido.

—Solo tú podrías pensar eso.

Sid se encogió de hombros.

—¿Qué tal el viaje?

Vacilé durante un segundo. ¿Cómo podía resumir la secuencia de eventos de mi corta estancia en Nueva York? La amenaza de la exnovia de Blake, descubrir que Heath tenía un problema con las drogas que podría tener consecuencias serias para Alli…

Quien, por cierto, aún no había devuelto mis llamadas o mensajes.

—He hecho algunos contactos —me limité a decir.

Allí y Sid nunca se habían llevado particularmente bien y sería mejor concentrar sus energías en el negocio que en aquel drama que, en realidad, no le concernía.

—Suena bien.

Sid dio media vuelta para entrar en su cueva.

—Oye, puede que necesite tu ayuda.

—¿Con qué?

—Espera un momento.

Corrí al dormitorio y tomé la foto de la caja, que dejé sobre la encimera un segundo después.

—¿Quién es?

—Mi madre. Y ése —señalé al hombre que estaba a su lado- podría ser mi padre.

Sid miró la foto con el ceño arrugado.

—¿Y esto qué tiene que ver conmigo?

—Necesito que me ayudes a descubrir quién es.

—¿Por la foto?

—Estudió en Harvard con mi madre en 1991. Eso y la foto es lo único que tengo.

Sid tomó la foto para mirarla atentamente con los labios fruncidos, una expresión habitual en él cuando estaba calculando y una señal de que estaba dispuesto a ayudarme.

—¿Cuál es el plan? —pregunté, intentando disimular la emoción.

—A menos que Harvard tenga una base de datos pública de antiguos alumnos, que lo dudo, tendré que averiguar cómo acceder a esos datos por mi cuenta. Luego intentaré instalar un software decente de reconocimiento facial y partiremos de ahí.

—¿No te importa?

Lo que le estaba pidiendo probablemente era ilegal y me sentía culpable. Podía estudiar los anuarios en la biblioteca de la universidad para intentar encontrarlo, pero el método de Sid sería más rápido y más seguro.

—¿De verdad este tío es tu padre?

—Ojalá lo supiera.

—Muy bien, veré qué puedo averiguar —dijo antes de volver a su habitación, llevándose la foto.

Volví a sentarme frente a mi ordenador. Aún tenía un millón de cosas que hacer, incluyendo estudiar la pila de currículos que se había acumulado desde que empecé a buscar un nuevo director de marketing, pero ya no podía concentrarme.

¿Cuánto duraría la búsqueda de Sid? ¿Y si lo encontraba aquel mismo día? ¿Y si no lo encontraba? Me mordí una uña.

Mi teléfono empezó a sonar en ese momento y dio un brinco de la silla. Tenía el número guardado y lo reconocí de inmediato. Respiré profundamente antes de responder.

—Hola, Isaac.

En realidad, agradecía la distracción en ese momento.

—¿Qué planes tienes para cenar? —me preguntó, con esa voz que me recordaba lo encantador que era en persona.

—Pues… no estoy segura. ¿Por qué?

—Voy a Boston esta tarde y he pensado que podríamos vernos.

—Ah, muy bien.

Seguía sintiéndome culpable por cancelar el almuerzo en el último momento sin una excusa creíble. Le había contado que la página de Clozpin tenía un problema que debía resolver… ¡un domingo al amanecer!

—Genial. ¿Nos vemos en el hotel Park Plaza a las siete?

—Perfecto, allí nos vemos.

Corté la comunicación, pero cualquier emoción que pudiera sentir por encontrarme con Isaac se marchitó al saber que me perdería una agradable cena con Blake.

Ya lo echaba de menos. Estaba enamorándome perdidamente de él. ¿Y qué? Tenía que dejar de regañarme y dejarme llevar. Si iba a enamorarme perdidamente, lo haría hasta el fondo y sin lamentarlo.

Mire mi reloj, debatiéndome durante unos segundos antes de enviarle un wasap.

E: ¿Puedo ir a verte a la oficina?

B: Sí, por favor.

Me puse una falda tubo de color beis y una blusa blanca con botones y me alisé el pelo, dejándolo suelto y suave. Sonreí frente al espejo, satisfecha al pensar que tenía un aspecto lo bastante atractivo como para cenar con Isaac y lo bastante sexy como para darle a Blake algo en lo que pensar.

Blake no estaba en la zona de trabajo cuando llegué. Nadie pareció fijarse en mí, así que me dirigí a su despacho. Estaba delante de su triple monitor, las televisiones que transmitían noticias o información de Bolsa recordándome su regla, o más bien guía, de no tener aparatos electrónicos en casa.

Cerré la puerta de golpe y él se giró en la silla.

—¿Y a qué le debo este inesperado placer?

Se echó hacia atrás, con una sonrisa perversa en los labios.

—Esta noche tengo una cena —me senté sobre el escritorio, donde el pobrecito se veía obligado a trabajar con míseros papeles y bolígrafos—. Así que quería verte un ratito.

—¿Con quién vas a cenar?

—Con Perry.

Él hizo una mueca.

—Ese puto tío es muy insistente.

—¿Lo conoces?

—Lo bastante bien como para saber que le gustas.

Aunque sus sospechas podrían ser ciertas, Blake no podía saberlo con seguridad.

—¿Sabes lo absurdo que suena eso?

Sin responder, se agarró a mis rodillas y empujó su silla hacia mí.

—¿Por qué no voy contigo? Podría ir en calidad de socio.

Mi sonrisa desapareció.

—No me parece buena idea.

—¿Por qué? Así él solo hablará de negocios y yo no tendré que preocuparme por ti.

—Primero, tú no eres mi socio y segundo, no creo que debas preocuparte. Isaac parece un tipo muy profesional y prefiero que pueda hablar con libertad. Ya sabes, a solas.

Blake me miró muy serio.

—¿Es tu última palabra?

Me quité los zapatos y bajé del escritorio, sentándome a horcajadas sobre él.

—Estás exagerando.

Lo besé en el cuello, embriagada de su aroma. Olía a limpio y… a Blake. Tomé el lóbulo de su oreja con los labios y le di un mordisquito.

Al notar que contenía el aliento me acerqué más, enganchando los dedos en las presillas de su pantalón. Deslicé una mano bajo su camisa y noté que sus músculos eran duros e implacables, como su presente estado de ánimo.

—¿Qué puedo hacer para animarte? —pregunté, tocando el botón de la bragueta.

Él sujetó mi mano antes de que pudiera seguir adelante.

—Nada de eso.

Lo miré a los ojos. Estaba muy serio, pero tenía la impresión de que aún podría ganar esa batalla.

—Ah, claro, se me olvidaba, tienes una reputación que mantener. ¿Nada de magreos en la oficina o tus súbditos se amotinarán? —bromeé para ponerlo de buen humor.

Blake esbozó una sonrisa.

—¿Qué voy a hacer contigo, listilla?

Le di besos en el mentón.

—Se me ocurren un par de cosas.

Rocé sus labios con los míos mientras él me levantaba la falda hasta los muslos. Jadeaba, mi deseo por él ya enfebrecido aunque aún no habíamos hecho nada. Metió una mano entre mis piernas y me acaricio por encima de las bragas. Gimoteé, apretando su mano, mi clítoris latiendo por sus caricias. Apartó a un lado la tela, abriéndome para deslizar un dedo por los húmedos pliegues.

—Estás lista para mí —murmuró.

—Siempre —levanté las caderas en un movimiento circular, guiando sus movimientos.

Él deslizó dos dedos dentro de mí, rozando el clítoris con el pulgar… luego los enterró en mi coño y volvió a apretar el capullo de nervios hasta arrancarme un gemido. Repitió el movimiento una y otra vez hasta que todo mi cuerpo estaba en tensión, meciéndome precariamente al borde del orgasmo.

—Córrete, Erica, ahora. Quiero sentir cómo tu avaricioso coñito se cierra sobre mi mano.

Clavé los dedos en sus hombros, conteniendo un grito mientras me apretaba contra su cuerpo, mi sexo cerrándose casi dolorosamente al no tener su polla dentro de mí.

Busqué su bragueta con manos temblorosas, decidida a solucionarlo. Su erección forcejeaba contra la tela de los tejanos, la única barrera entre nosotros, pero Blake me sujetó por las muñecas, volviendo las palmas hacia arriba para besarlas suavemente.

—Blake…

—Tienes que irte a cenar —me recordó con voz pausada mientras soltaba mis manos. Sosteniendo mi mirada, se metió los dedos en la boca, chupando las húmedas yemas que yo había estado montando hasta un segundo antes.

«Coño». Mi corazón dio un vuelco.

—Tenemos mucho tiempo —protesté, alargando una mano hacia la cremallera de su pantalón.

Después de todo, había calculado la hora de mi llegada con eso en mente.

—Levántate —me ordenó, dándome un suave azote en el trasero.

A regañadientes, me levanté para apoyarme en el escritorio mientras él desaparecía en el baño del despacho. Volvió con una toalla mojada y me limpió, un acto a la vez tierno y excitante.

—¿Me estás castigando?

No entendía por qué estaba siendo tan cabezota cuando era evidente que también él me deseaba.

—No.

—Me deseas —susurré, masajeando su polla por encima del pantalón.

Él se apartó.

—Así es, pero tendrás que volver pronto de esa cena para descubrir cuánto.

Dio media vuelta para entrar de nuevo en el baño y, resignada a aceptar que aquel era el final del encuentro, me enderecé, pasando una mano por la falda para alisar las arrugas mientras intentaba calmarme.

Olvidarme del puñetero Blake y volver a ser una profesional no era una transición fácil cuando solo podía pensar en lo maravilloso que sería que me follase encima del escritorio.

Pasé los dedos por la superficie de cristal, los amuletos de las pulseras golpeándola con un alegre tintineo.

Blake se colocó detrás de mí y apretó su cuerpo contra el mío mientras me besaba en el hombro.

—Tengo que irme —dije, entre frustrada y desesperada.

—Vuelve pronto —su profunda voz reverberaba por todo mi cuerpo—. Cuanto más me hagas esperar, más fuerte te follaré.

Tuve que contener un gemido. Mis pechos, hinchados y pesados, anhelaban sus caricias. Me apreté contra él y, dejando escapar un gruñido, Blake me agarró por las caderas, pero me soltó enseguida.

Y luego se apartó.

Cuando me volví, estaba frente al minibar, sirviéndose un whisky y mirando por la ventana. Yo tenía demasiado orgullo como para suplicar y no me apetecía analizar por qué insistía en torturarnos a los dos.

Sabía que lo retomaríamos más tarde, pero en ese momento sentía que estaba a punto de explotar y estaría contando los minutos hasta que la cena con Isaac terminase. Por supuesto, eso era lo que él quería.

¿Qué otra cosa podía esperarse de un friki del control, un *hacker*? Blake Landon jugaba sucio.

Entre las antigüedades restauradas del hotel, las lámparas de araña, las molduras doradas y la música de Frank Sinatra que salía por los altavoces, sentía como si hubiera entrado en una película de los años sesenta cuando llegué al hotel.

Isaac, sentado en un sillón al fondo del vestíbulo, se levantó y apresuré el paso para saludarlo, mis tacones repiqueteando sobre el suelo de mármol.

Llevaba un caro traje de chaqueta, pero con los dos primeros botones de la camisa desabrochados. Eso y su carismática sonrisa le daban un aspecto despreocupado y alegre.

Se inclinó para darme un beso en la mejilla, un gesto que me recordó a Sophia.

—¿Dónde vamos? —le pregunté, dispuesta a empezar con la reunión lo antes posible.

—Vamos a Maggiano's, está aquí al lado.

Cruzamos la calle y entramos en el enorme restaurante italiano. Nos sentamos en un banco corrido, Isaac frente a mí, y pedimos una botella de vino.

—¿Qué tal ha ido todo? —le pregunté cuando el camarero desapareció.

—Bien, nada especial. Si quieres que sea sincero, probablemente no habría venido si no hubiera podido verte.

—Ah, entonces todo ha salido bien.

Coloqué la servilleta sobre mi regazo, deslizando los dedos distraídamente por la arrugada falda.

—Bueno, cuéntame, ¿por qué llevas tu negocio desde Boston?

Enarqué una ceja, buscando la respuesta adecuada.

—Este ha sido mi hogar durante los últimos cuatro años y no quiero irme a menos que tenga que hacerlo.

—Hay muchas más oportunidades en Nueva York.

—No las suficientes para que me vaya por ahora.

Isaac se inclinó hacia delante, con una sonrisa torcida.

—Tiene que haber alguien que te retiene aquí.

Me eché hacia atrás, repiqueteando con los dedos sobre el mantel de cuadros mientras intentaba mantener una expresión serena. ¿Por qué insistía en hacer preguntas tan personales? Mi habilidad para hablar de cosas mundanas nunca había sido de premio, pero tal vez debería ceder un poco antes de lanzarme a hablar de esa posible colaboración.

—Hay alguien que me retiene aquí, sí.

Se me ocurrió una idea mientras pronunciaba esas palabras.

—Y él te ha regalado eso —Isaac rozó con el dedo las pulseras, que las luces del restaurante hacían brillar de una forma increíble—. Son preciosas.

El contacto me sorprendió y no en el buen sentido.

Aparté la mano para colocarme un mechón de pelo detrás de la oreja, nerviosa. Tenía frío y deseé haber llevado un jersey, algo que me calentase y me escondiese de sus sugerentes miradas. Lamentaba haberme puesto esa blusa. Había desabrochado dos botones para Blake y no podía volver a abrocharlos sin que Isaac lo notase.

—Gracias.

Mantuve baja la mirada, concentrándome en los platos que acababan de llegar.

—¿Quién es el afortunado?

—Blake Landon. Puede que lo conozcas.

Esa era la idea. Blake era muy conocido y tal vez su nombre lo desalentaría.

Isaac hizo una mueca.

—Claro que lo conozco. Y supongo que Sophia te habrá advertido.

—¿De qué?

—Blake tiene fama de descartar a las mujeres cuando se cansa de ellas.

La versión de Blake sobre su relación con Sophia era muy diferente. No siempre me contaba toda la verdad, pero aún no lo había pillado en una mentira flagrante. Aparte de eso, me resultaba difícil imaginar a alguien tan frío y calculador como Sophia robándole el corazón a nadie.

—¿De qué conoces a Sophia?

Decidí aprovechar la oportunidad para averiguar algo más sobre ella.

—Contratamos a sus modelos para muchas sesiones fotográficas. Además, es una buena empresaria, como tú. Has hecho bien al ponerte en contacto con ella.

Se me erizó el vello y, de repente, me pareció como si los colores del local se volviesen más brillantes al pensar en la malévola Sophia. Si tocaba a Blake, definitivamente «conectaría» con ella.

Isaac estaba empezando a cabrearme con esa charla tan personal.

Tenía que retomar el rumbo de la conversación, me dije. Tal vez Blake tenía razón. Si él hubiera estado allí, Isaac habría ido directo al grano, aunque estaba segura de que la conversación hubiera sido igualmente incómoda.

Tomé aire, intentando volver a hablar de lo que me interesaba.

—Dijiste que podríamos colaborar de alguna forma. ¿Qué se te ha ocurrido?

Isaac sonrió.

—Bueno, tú eres la experta en redes sociales. ¿Se te ha ocurrido algo?

La tensión se relajó un poco y, concentrándome en hablar de negocios, le pregunté por la mecánica de sus estrategias de marketing. Isaac apenas sabía nada sobre los detalles, pero me hice una idea de cómo estaban estructurados los departamentos de cada publicación y se me ocurrían un par de maneras en las que podríamos colaborar.

Durante la siguiente hora hablamos de un posible intercambio promocional entre sus publicaciones, usando las herramientas de Clozpin. El plan sonaba prometedor, Isaac parecía receptivo y quedamos en que haría una propuesta con las opciones que habíamos discutido.

Una vez que dejamos de lado mi vida personal, la conversación fue productiva e incluso animada. Terminamos la botella de *Pinot Grigio* y le recomendé sitios en Boston a los que debería ir la próxima vez que estuviera de visita.

El silencio cayó sobre la mesa mientras esperábamos que llegase el camarero con la cuenta y, de reojo, miré el reloj del móvil.

Habían pasado casi tres horas. Blake debía estar furioso.

Cuando salimos del restaurante, el sol se había escondido y estaba más relajada gracias al vino. Hacía una noche estupenda y me volví para preguntarle dónde pensaba ir, pero con mi acostumbrada torpeza para caminar sobre tacones perdí el equilibrio y él me sujetó, apretándome contra su torso.

—Lo he pasado muy bien, Erica —dijo en voz baja, ronca.

El sonido podría haber derretido a otra mujer, pero para mí fue como el rechinar de uñas sobre un encerado. No me gustaba nada y menos después de haber terminado la cena con una nota tan positiva.

—Gracias, Isaac, pero…

Él interrumpió mi protesta dándome un inesperado beso en los labios. Me quedé petrificada cuando introdujo la lengua en mi boca y me tocó el culo, apretando sus caderas contra mí. Chillé, intentando recuperar el equilibrio y empujarlo, pero él me sujetaba con fuerza.

Intenté apartarme, campanas de alarma sonaban por todas partes, una descarga de adrenalina recorría mi cuerpo. Quería salir corriendo, apartarme de él lo antes posible. Mi cerebro gritaba esas órdenes, pero vacilé, esperando que fuera él quien se apartase.

—¿Por qué no volvemos al hotel?

—Suéltame, Isaac.

«Por favor, esto no puede pasar, por favor».

Él rió, un sonido perverso que me heló la sangre en las venas.

—¿Crees que a Landon le importas una mierda?

Enfurecida, estaba dispuesta a darle un rodillazo en las pelotas cuando se detuvo de repente.

—¡Perry!

Me soltó de inmediato al escuchar esa voz profunda detrás de mí, dando un paso atrás. En un segundo, Blake se lanzó sobre él, sujetándolo por el cuello mientras Isaac murmuraba una absurda disculpa.

—Ella tropezó y la sujeté. No ha pasado nada, te lo juro.

—Yo he visto otra cosa.

Miré a un lado y otro de la calle. Había caído la noche y estábamos solos. Intenté controlar el pánico diciéndome que estaba a salvo. Blake estaba allí e Isaac no tenía nada que hacer. En unos segundos había quedado reducido a un ser patético que no sabía cómo disculparse mientras Blake le apretaba el cuello, amenazando con estrangularlo si se movía.

—Es mía, Perry. Y si vuelves a ponerle las manos encima te quedarás sin manos. ¿Está claro?

—Sí, por supuesto.

Blake aflojó la presión, pero solo para empujarlo contra la pared. Isaac empezó a toser, intentando apartar las manos de su garganta.

—Vete de aquí —le ordenó, soltándolo por fin.

Isaac desapareció al final de la calle y Blake se volvió hacia mí mirándome con frialdad.

17

Seguí a Blake por la calle hasta el sitio donde había aparcado su deportivo.

¿Cuánto tiempo habría estado siguiéndome? ¿Y cómo sabía dónde había quedado con Isaac? Que supiera mi paradero era inquietante, pero no pensaba sacar el tema en ese momento.

Me abrió la puerta del coche, un gesto automático porque no dijo una palabra mientras se colocaba tras el volante y pisaba el acelerador para recorrer las pocas manzanas que nos separaban del apartamento. Una vez fuera del coche, con Blake obstinadamente callado, lo detuve en el portal.

—¿Estás enfadado conmigo?

—No me ha hecho gracia encontrarte besando a ese gilipollas, si es a eso a lo que te refieres.

—Yo no quería besarlo.

—Lo sé, pero si me hubieras hecho caso esto no habría pasado.

Hice una mueca, pensando que tenía razón. La situación era muy embarazosa.

—Me pilló desprevenida, pero lo habría solucionado si me hubieras dado un segundo más.

—¿Habrías dejado que Max fuese contigo a la cena?

Golpeé la acera con el pie. Era una pregunta con truco.

—No pensarás ir a todas las reuniones conmigo, Blake. No tiene sentido.

—Respóndeme. ¿Habrías dejado que Max fuese contigo?

Lo pensé un momento.

—Tal vez.

—Lo que había imaginado. Muy bien, invertiré en Clozpin. Llamaré a Max y le diré que se olvide del trato.

—Espera un momento. Este es mi negocio y soy yo quien toma las decisiones, no tú.

Seguía temblando después del incidente con Isaac y la amenaza de Blake me estaba colocando al borde de un ataque de pánico. Intentaba pensar a toda prisa para ir por delante.

—Es tu negocio, pero necesitas dos millones de dólares para que salga adelante y para mantener el estilo de vida del que disfrutas ahora.

—¿Estás amenazando con echarme del apartamento? Dímelo y haré las maletas ahora mismo. Eres tú quien prácticamente me forzó a alquilarlo.

Blake se pasó una mano por el pelo, suspirando.

—Acepta el dinero y olvidemos el asunto.

—Blake, tenemos una relación… o al menos la teníamos hasta hace veinte minutos. Imagino que estarás de acuerdo en que eso ya es bastante complicado. No puedo aceptar tu dinero.

Vaciló, mirándome con intensidad.

—No confías en mí.

Esas palabras me llegaron al alma, no porque Blake pensara eso sino porque era verdad. Confiaba en él en muchos sentidos, pero dirigir mi propio negocio sin interferencias externas era fundamental para mí.

Incapaz de darle una respuesta convincente, entré en el portal y estuve a punto de chocar con Cady y Sid, que salían en ese momento. Los saludé a toda prisa antes de subir las escaleras de dos en dos. Blake me siguió hasta el dormitorio y decidí no discutir.

—Quítate la ropa —le ordené, señalándolo con el dedo índice.

Mi cerebro era un caos. No se me ocurría cura mejor que follar hasta hacer que se olvidase de todo. En realidad, había pensado en poco más durante todo el día.

Él arqueó una ceja.

—¿No deberíamos hablar de esto?

—¿No me has oído? Fuera la ropa.

Incliné a un lado la cabeza, como desafiándolo a discutir.

Él pareció pensarlo un momento, pero después empezó a desnudarse del todo. Cuando la última prenda cayó al suelo, miré asombrada el espécimen que tenía a mi merced, la piel tensa sobre unos músculos esculpidos.

Quería tocarlo por todas partes, sentir esos músculos flexionándose sobre mí, dentro de mí. Mi enfado desapareció, reemplazado por el deseo que había estado intentando controlar durante horas.

Cuanto más lo miraba, más empalmado se ponía. Su expresión era tranquila, pero el anhelo que había en el brillo de sus ojos era un reflejo del mío.

Me acerqué para empujarlo sobre la cama y cuando intentó agarrarme di un paso atrás. Me desnudé, tomándome mi tiempo mientras me quitaba el sujetador y las bragas de encaje blanco que había elegido especialmente para él. Me coloqué encima, besándolo en el cuello, en el torso, acariciando los oscuros pezones hasta que se endurecieron.

Por fin, me ocupé de su polla, acariciándola con la lengua, lamiendo las gotitas de perlado líquido en la punta, disfrutando de su sabor antes de meterla en mi boca hasta que rozó el fondo de mi garganta.

—Dios… Erica.

Apenas podía hablar y disfruté de esa pequeña victoria. Se le daba mejor que a mí el juego del autocontrol y hasta ese momento siempre había logrado disimular cuánto lo excitaban mis caricias.

Sus muslos estaban rígidos de tensión cuando dejé de mamársela y la saqué lentamente de mi boca.

—¿Cómo te sientes?

—Ven aquí y te lo demostraré —sus ojos estaban oscurecidos de deseo.

Estremecida, me senté sobre su polla y fui bajando despacio, dando tiempo a mi cuerpo para adaptarse a su tamaño. Una oleada de calor me golpeó cuando estuvo enterrado en mí del todo.

Me incorporé un poco y él sujetó mis caderas para tirar hacia abajo con fuerza, tocando ese sitio dentro de mí que solo él podía satisfacer.

Eché la cabeza hacia atrás y mascullé una palabrota. Me quede inmóvil, abrumada por lo bien que estábamos juntos, como hechos el uno para el otro, por cómo nadie más se había acercado a esa sensación.

Blake sujetó mis caderas e intentó hacer que me girara, pero se lo impedí.

—No —dije con firmeza.

Blake me soltó.

—Seguramente deberíamos elegir una contraseña.

—Esa es mi contraseña. Cuando digo que no, te aseguro que quiero decir que no.

—Muy bien —asintió.

—Voy a follarte hasta que mis piernas sean gelatina y no recuerde ni mi propio nombre. Y luego tú estarás al mando, ¿de acuerdo?

—Lo que tú digas, jefa.

Blake tragó saliva y puso las manos en su nuca, dejando claro que estaba dispuesto a obedecer.

Empecé a mover las caderas en círculos, subiendo y bajando con medido impacto hasta que encontré el ritmo. Mis pechos se habían vuelto pesados y sensibles, y tiré de mis pezones para saciar el deseo de ser acariciada.

Blake seguía en la misma postura, sin dejar de mirarme. Levantaba las caderas para recibir mis acometidas, cada una llegando a un sitio más profundo que la anterior. El clímax empezó a desencadenarse dentro de mí y me estremecí, mordiéndome lo labios hasta que estuvieron entumecidos, atrapada en el inicio de un orgasmo que no dejaba de crecer en intensidad.

—Quiero oirte —dijo Blake—. Ahora, Erica.

El dique se rompió y un grito estrangulado escapó de mi garganta mientras me corría como nunca. Sin aliento y sin fuerzas, caí hacia delante, enredando los dedos con los de Blake, besándolo.

Él se incorporó entonces, tomando un pezón entre los labios y luego el otro mientras empujaba con fuerza dentro de mí. Gemí de gozo y Blake sujetó mi cara con una mano, apretando mi cintura con la otra, atrayéndome hacia él y besándome apasionadamente; un beso profundo y abrasador que lo decía todo.

Podía saborear el deseo en sus labios y estaba más que dispuesta a dejar que él llevase el control.

—Hazlo.

Me hizo girar con medido control, cubriendo mi cuerpo con el suyo antes de colocarse entre mis piernas. Arqueé la espalda para recibir todo lo que quisiera darme. Me derretía con cada embestida, tantas horas deseándolo llegaban por fin al culmen, a ese momento increíble en que podía perderme a mí misma en él.

Lo besé frenéticamente, atrapada entre la rabia, el amor y la pasión. Clavé las uñas en su espalda cuando llegamos juntos al clímax, jadeantes y cubiertos de sudor.

Blake enterró la cara en mi cuello.

—Eres mía —susurró.

Cerré los ojos, abrazándolo. No sabía lo cierto que era eso.

Nos quedamos inmóviles, sin aliento y saciados sobre la cama, uno al lado del otro. Admirando el fabuloso cuerpo de Blake estirado a mi lado, pasé los dedos por su espalda, donde había clavado las uñas con más fuerza de la que pretendía.

—Te tengo —susurré.

—Y si sigues tocándome así, yo voy a tenerte a ti.

Riendo, me tumbé de espaldas, hipnotizada por el momento e incapaz de apartar la mirada de aquel hombre fabuloso en mi cama.

Blake se apoyó en un codo para mirarme.

—Por cierto, ha sido increíble —murmuró, colocando un mechón de pelo detrás de mi oreja y trazando mis curvas con un dedo, como si estuviera intentando memorizarlas—. ¿Por qué puedes confiarme tu cuerpo después de todo lo que has pasado y, sin embargo, aunque he levantado y vendido docenas de negocios, te niegas a confiarme el tuyo?

Cerré los ojos, dejando escapar un suspiro. No iba a dejar que un polvo se interpusiera en su camino. No, seguramente lo usaría para conseguir ventaja, se aprovecharía.

—El negocio lo es todo para mí —hice una mueca en cuanto pronuncié esas palabras, aunque era cierto—. Quiero decir que representa años de esfuerzo. No solo el tiempo que pasé creando la página sino los años que he estado estudiando para ser quien soy.

—Sí y…

—Cuando estamos juntos significa algo para los dos. Confío en ti, Blake, más de lo que nunca he confiado en nadie, ¿pero qué pasaría si dejásemos de vernos o te cansaras de mi negocio? ¿Y si se convirtiese en un coladero de dinero o fracasara?

—El dinero que necesitas es irrelevante para mí. Dudo mucho que pudiera convertirse en un coladero de dinero. Además, yo no permitiría que un negocio en el que he invertido fracasase.

—¿Entonces por qué no decidiste invertir cuando te ofrecí la posibilidad? ¿Cuál es la diferencia ahora, aparte de que te subas por las paredes cada vez que me ves con otro hombre?

—Estaba más interesado en conocerte que en firmar un cheque —me confesó—. Sabía que si yo pasaba, Max se mostraría interesado y no me equivoqué. Ahora… las cosas han cambiado. Me importas de verdad y me interesan las cosas que te importan a ti.

Intenté asimilar esa declaración tan inesperada. Una pequeña parte de mí quería rendirse. Llevaba semanas teniendo dudas sobre mi negocio porque él había pasado sin pensárselo dos veces. Saber que había visto el valor en Clozpin desde el principio me parecía tranquilizador, pero eso no cambiaba la dura realidad: mezclar los negocios con el placer, al menos en este punto, sería un grave error.

—Te lo agradezco, pero no es una buena razón para invertir. Ya es un problema que haya mala sangre entre Max y tú, pero si hubiera tensiones entre nosotros estaría poniendo en riesgo mi negocio y mi futuro. Es demasiado pedir, Blake.

Él se quedó callado, pero estaba segura de que la conversación no había terminado.

Sin decir una palabra, me apretó contra su pecho, donde me quedé dormida, tranquila y a salvo.

Por la mañana, cansada después de la noche anterior, decidí echar un vistazo a mis correos. Blake me había despertado en más de una ocasión, convencido de que follándome iba a hacer que me rindiera en el tema de la inversión. No discutí, pero tampoco me rendí, al menos en lo que se refería a mi negocio.

Estaba comprobando los correos cuando encontré un mensaje de Sid que llevaba por título: *Resultados*.

Se me encogió el estómago y tuve que volver a leerlo.

Erica,

No ha sido tan difícil como esperaba. Daniel Fitzgerald, promoción de 1992, licenciado en Económicas y Derecho. Google: Daniel Fitzgerald, Boston.

Sid.

Abrí una nueva pestaña y escribí ese nombre en el buscador. El primer resultado era la página de un bufete donde su nombre aparecía como el primero de los socios.

El segundo resultado era la web oficial de la candidatura de Daniel Fitzgerald a gobernador de Massachusetts, con un estiloso logo en rojo, blanco y azul, y un eslogan de campaña llamativo.

Debajo, la fotografía de una versión madura del hombre al que mi madre sonreía en esa otra fotografía, tomada tantos años atrás.

«Dios mío».

Busqué el móvil para llamar a Marie.

—Hola, cariño —respondió de inmediato.

—Daniel Fitzgerald.

—¿Qué?

—Ese es el hombre de la foto.

—Ah.

Parecía más resignada que sorprendida.

—Sé que mi madre tenía sus razones para no hablarme de él, pero necesito saberlo.

—Erica, yo…

—Marie, tengo derecho a saberlo. Tú eras su mejor amiga y si alguien conoció a mi padre tienes que ser tú.

Marie se quedó callada durante largo rato.

—Sí —respondió por fin.

—¿Sí qué?

—Sí, es tu padre.

—Dios mío.

Cerré los ojos, mi cabeza dando vueltas. Tenía mis sospechas, pero casi esperaba que dijese que no. O que mintiera, o que dijera que estaba loca por imaginar que iba a encontrar a mi padre por una foto. Y ahora, enfrentada con la verdad, no sabía qué pensar.

Llevaba toda mi vida aceptando su ausencia, ignorando la otra mitad de mi identidad, ¿pero lo había aceptado de verdad alguna vez?

Cuando tuve edad para exigir la verdad, mi madre murió y, sabiendo que nadie podría llenar ese espacio en mi corazón, nunca me había molestado en preguntarme de verdad quién era mi padre.

Y ahora tenía un millón de preguntas y ninguna respuesta. ¿Sabría de mi existencia? ¿Habría amado a mi madre? ¿Cómo sería?

—Cariño, ¿estás bien?

La voz de Marie interrumpió mis pensamientos.

—¿Sabías que se presenta a gobernador?

Lo único que sabía de él era precisamente lo que podría separarnos. No sabía cómo encontrarlo, pero sí que un aspirante a gobernador estaría rodeado de gente.

—No, pero no puedo decir que me sorprenda.

—No será fácil ponerme en contacto con él.

—Ten cuidado, cariño.

Fruncí el ceño.

—¿Qué quieres decir?

—Con él no sabes con quién estás o qué vas a encontrarte.

—¿Debería preocuparme? Parece que sabes más de lo que me has dado a entender.

—Tú eres una chica lista. Presta atención y no bajes la guardia —me aconsejó Marie.

—Muy bien —hice una pausa, intentando ordenar mis pensamientos—. Gracias.

—¿Por qué?

—Por decirme la verdad, aunque sea un poco tarde.

Marie suspiró.

—Espero que no lo lamentes.

Sacudí la cabeza, sin entender por qué iba a hacerlo.

—No puedo explicarte lo que significa para mí saber quién es por fin, pero sin mi madre…

—Lo sé, cariño —me interrumpió ella—. Lo siento, solo estaba cumpliendo sus deseos, haciendo lo que me había pedido.

Dejé escapar el aliento, esperando que esa respuesta me aliviase, pero no era así. No me gustaba que Marie me hubiese ocultado la identidad de mi padre o que mi madre hubiera querido que así fuera.

Pero ya no era una niña. Aunque me diese miedo, necesitaba saber algo más sobre ese hombre y qué había significado para mi madre.

—Bueno, tengo que pensarlo. Te llamaré.

—Sí, claro, llámame cuando quieras. Oye, Erica…

—¿Qué?

—Ten cuidado.

—Lo tendré, te lo prometo.

Corté la comunicación y volví a mirar la foto de la página, deseando conocerlo en persona. No al abogado o al político, sino al hombre.

Estuve investigando durante un rato en Internet, pero eso solo reforzó mi convicción de que sería muy difícil ponerse en contacto con él. No podía entrar en su despacho y anunciar que era su hija.

Se me ocurrió la idea de usar a Blake como contacto, pero decidí no complicarlo en el asunto. No quería asociarlo con nada de aquello, por mí y por él.

Decidí llamar a Alli. No habíamos hablado desde que me fui de Nueva York y me sorprendió que respondiese.

—Llevo días intentando hablar contigo —le dije, intentando disimular mi preocupación.

—Lo sé, lo siento. Es que tengo mucho trabajo y lidiar con toda esta mierda de Heath tampoco me ayuda nada.

—¿Estás bien?

Al otro lado hubo un silencio.

—Sí, creo que sí.

—¿Cómo está Heath?

—Parece estar bien… mejor. Está en Los Ángeles y no puedo ir a verlo por el momento.

—Ya, claro. Imagino que todo esto es muy duro para ti.

La oí reír al otro lado, pero era un sonido triste.

—Debería haber estudiado sicología porque estar con él es como salir con dos personas diferentes.

—Pero estás enamorada de una de esas personas.

Alli suspiró.

—Sí, esa es la cuestión.

—Sé que no te he apoyado como debería en este asunto, pero es que todo me pilló por sorpresa…

—Lo sé.

—Lo siento, Alli, pero quiero que sepas que puedes hablar conmigo cuando lo necesites. Quiero ayudarte. Sigues siendo mi mejor amiga y no quiero que esto nos separe.

—Gracias, eso significa mucho para mí. No puedo contárselo a mis padres, les daría un ataque.

—Con un poco de suerte, Heath estará curado antes de que tengas que hacerlo.

—Con un poco de suerte, sí.

—Bueno, yo tengo noticias interesantes.

—¿Qué noticias?

—Creo que he encontrado a mi padre.

—¿Qué? ¿Lo dices en serio?

—Sí, pero necesito tu ayuda. Es un abogado muy importante y, además, candidato a gobernador de Massachusetts. No sé cómo ponerme en contacto con él, pero tal a vez a ti se te ocurra alguna idea.

—Espera que lo piense... Conozco a algunas personas en *Harvard Review*, así que podríamos pedir una entrevista.

Alli parecía haberse animado, como si de repente tuviera una misión. La chica había nacido para el marketing.

—Gracias.

—De nada. ¿Pero cómo lo llevas?

Me mordí los labios. ¿Cómo lo llevaba?

—No sabría decirte. Estoy emocionada y preocupada a la vez. No sé qué clase de persona es, pero tengo que conocerlo. No puedo quedarme de brazos cruzados sabiendo quién es. Además, quizá él también querría conocerme, ¿no?

—Seguro que sí.

—Tal vez, en fin, ya veremos.

—Voy a ver si puedo conseguir la entrevista. Si te enteras de algo más, llámame.

—Lo haré. Gracias, Alli.

—De nada. Te llamaré más tarde.

18

Nerviosa, hojeaba una revista hasta que la guapa y rubia recepcionista de Daniel Fitzgerald me hizo una señal para que entrase en el despacho.

El bufete de Fitzgerald y Quinn estaba en el corazón del distrito financiero de Boston, y el enorme y elegante despacho dejaba bien claro que el hombre que estaba frente a mí era uno de los ejecutivos más importantes de la ciudad.

Vestido con un imponente traje de chaqueta de tres piezas, estudiaba unos papeles sentado tras un escritorio pedestal. Tenia unas gafas de leer sobre el puente de la nariz.

Ya no era el joven alegre que había visto en la foto.

—Señor Fitzgerald —dije con voz temblorosa.

Él levantó la mirada, sus ojos iguales a los míos, de un azul frío. Su pelo estaba encaneciendo y tenía arrugas, pero seguía siendo atractivo. La esencia del hombre de la foto aún era reconocible.

—Soy Erica Hathaway.

Le ofrecí mi mano y él se levantó para saludarme con una amable sonrisa, señalando una silla delante de su escritorio.

—Por favor, siéntate.

Me senté en uno de los sillones, respirando el agradable olor a cuero de la mejor calidad.

—Déjame ver… ¿trabajas para *Harvard Review*? —arqueó una ceja.

—Bueno, sobre eso…

Alli me había conseguido la entrevista diciendo que trabajaba para la conocida publicación y si aquello no iba bien alguien podría ser despedido por mi culpa.

Él me miraba, expectante. Tragué saliva antes de tomar aire.

«Allá vamos».

—¿El nombre de Patricia Hathaway le dice algo? —pregunté por fin, mirándolo fijamente para ver su reacción.

Si ese nombre significaba algo para él no lo demostró, su rostro no mostró ninguna emoción. Sus ojos azules estaban clavados en mí, sin revelar nada.

Miró su reloj.

—No estoy seguro. ¿Tiene eso algo que ver con la entrevista, jovencita? —Su voz era serena y pausada.

Tragué saliva, luchando contra una oleada de náuseas. Aquello era una locura. ¿Y si me había equivocado? ¿Y si Marie no sabía la verdad?

Aparté tales dudas de mi cabeza y me concentré en el presente. Me miré las manos, retorcidas angustiosamente en mi regazo.

—Soy la hija de Patricia Hathaway. Esperaba que hablásemos de eso.

En el largo silencio que siguió entendí la verdad y, de repente, me quedé como entumecida, incapaz de moverme.

Levantándose abruptamente, Daniel Fitzgerald cruzó el despacho con paso elegante y cerró la puerta antes de volver a sentarse.

Luego se quitó las gafas, que tiró sobre la mesa, mirándome con expresión seria.

—¿Dónde quieres ir a parar con esto?

«Ay, Dios mío».

Las dudas se esfumaron del todo; aquel hombre era mi padre. Tuve que agarrarme al brazo del sillón, las manos me sudaban profusamente mientras rezaba para que no me echase de allí.

—Verá, yo…

Intenté pronunciar las palabras que había ensayado, pero se me atragantaron. Sonaban absurdas y presuntuosas, pero eran ciertas y en mi fuero interno lo sabía.

¿Y si no me creía? Cerré los ojos y, antes de perder el valor, le solté:

—Señor Fitzgerald, creo que soy su hija.

Él se echó hacia atrás en el sillón, con la mandíbula apretada, sus ojos clavados en los míos. Estuvimos así durante lo que me pareció una eternidad. Mi corazón latía alocado, el miedo a lo que pudiese decir se habia instalado entre nosotros.

De pronto, exhaló lentamente mientras se echaba hacia delante.

—Vamos a dejar las cosas claras. ¿Se trata de dinero? Si es así, dime exactamente cuánto pretendes conseguir.

Intenté hablar, pero sus palabras me habían dejado de piedra. ¿Pensaba que quería extorsionarlo?

«No, no, no, mierda».

Sacudí la cabeza en un gesto frenético, pasando una mano por mi frente. Aquello no estaba yendo como esperaba.

—No es eso. Solo quería conocerlo, nada más.

Él vaciló durante unos segundos antes de pellizcarse el puente de la nariz.

—No puedo decir que hubiese esperado este encuentro.

—Yo tampoco. Nunca pensé que nos conoceríamos.

—Mira, Erica... —se aclaró la garganta mientras colocaba unos papeles—. Me temo que no es ni el momento ni el sitio para hablar de este asunto.

—Lo siento, yo...

—Estoy en medio de una campaña y me organizan entrevistas cada quince minutos, así que tengo otra dentro de nada.

Me quede petrificada al entender lo que quería decir: si no era una amenaza, no tenía tiempo para mí.

Se me hizo un nudo en la garganta y sentí que mis ojos se empañaban. «Menuda pérdida de tiempo». Me arrepentía de haber depositado tantas esperanzas en aquella reunión. Debería haberlo imaginado.

Si Marie no me hubiera enseñado esa maldita foto...

—Lo entiendo —tomé mi bolso, intentando disimular lo dolida que estaba—. Ha sido un placer conocerlo de todas formas. Buena suerte en la campaña.

Me levanté para estrechar su mano, evitando su mirada. No le daría la satisfacción de saber el daño que me había hecho.

Él apretó mi mano y la sujetó durante unos segundos.

—Saluda a Patty de mi parte, ¿de acuerdo?

—Mi madre ha muerto —dije sin emoción.

Por supuesto, Daniel Fitzgerald pensaba que seguía viva. Había muerto siendo tan joven.

Exhaló un suspiro y vi una sombra de emoción en sus ojos mientras se pasaba la mano por el pecho.

—No tenía ni idea.

—Murió cuando yo tenía doce años, de un cáncer de páncreas. Pero no sufrió durante mucho tiempo.

Mi tono era suave, tranquilo y objetivo, como si estuviera hablando de alguien a quien apenas conocía. Me distanciaba de las emociones en cuanto amenazaban con hacer su aparición y aquel no era el día para llorar por mi madre. De hecho, estaba aguantando de milagro.

—Lo siento mucho.

—Usted no podía saberlo.

Di media vuelta con intención de salir del despacho, pero él me detuvo poniendo una mano en mi hombro.

—Erica, espera.

Mi corazón se aceleró. Los últimos minutos estaban siendo una montaña rusa de emociones.

—Voy a pasar el fin de semana en Cabo Cod con mi familia. Tal vez podríamos… seguir charlando, si te parece bien.

—Sí, claro.

Respiré profundamente, sintiendo como si me hubiera quitado un peso de los hombros. ¿La oferta sería sincera?

—Estupendo.

—Señor Fitzgerald…

—Por favor, llámame Daniel… supongo. —Se encogió de hombros, nervioso. Parecía más humano, menos formidable que antes.

Una semilla de esperanza empezó a crecer dentro de mí.

—Siento haber tenido que inventar una entrevista para verte, Daniel, pero no sabía cómo hacerlo.

—Lo comprendo —se volvió hacia el escritorio para anotar su dirección en un folio con sus iniciales—. Esta es la dirección de mi casa. Para empezar, podríamos cenar juntos el viernes. Puedes quedarte todo el tiempo que quieras.

—Me gustaría mucho.

Daniel Fitzgerald, mi padre, me acompañó a la puerta.

—A mí también.

Me despedí torpemente con la mano porque pensé que sería raro darle un abrazo.

Cuando regresé al apartamento, con una copa de vino en la mano, me di un baño de espuma en la bañera retro con patas en forma de garra.

Sí, era mediodía, pero aquel no era un día normal. De hecho, había sido el día más intenso de mi vida adulta y, desde luego, la reunión con Daniel Fitzgerald podría haber ido mucho peor.

El teléfono empezó a sonar, destruyendo ese raro momento de paz.

—¿Sí?

—Erica, soy Max.

—Ah, hola.

Me incorporé en la bañera, buscando algo para escribir por si me hiciera falta.

—¿Llamo en buen momento?

—Sí, claro.

Era mentira, pero no iba a decirle que estaba en la bañera.

—Tengo buenas noticias, el trato está hecho. Estoy revisando los documentos ahora mismo, pero creo que podremos firmar mañana mismo.

—Me parece perfecto. Puedo estar allí a primera hora, si te parece bien.

Tendría los nervios de punta si la reunión era por la tarde.

—Genial. Estoy deseando que empecemos a trabajar juntos.

—No sé cómo darte las gracias, Max.

—Yo sí. Dame las gracias con un buen rendimiento de la inversión.

Eso me hizo sentir un escalofrío de aprensión.

—Haré lo que pueda —le prometí.

—Ah, y esta noche cenamos juntos. Me gustaría celebrar el acuerdo con mi nueva socia.

Sonreí, pero mi emoción se esfumó al recordar lo que había ocurrido tras mi última cena de negocios. ¿Qué posibilidades había de cenar con Max sin que Blake lo amenazase o intentase estrangularlo?

—Tengo planes para esta noche, ¿pero qué tal si lo celebramos mañana con un almuerzo? Invito yo.

—Me parece bien. Nos vemos mañana entonces.

Después de cortar la comunicación me hundí en la bañera, animada al pensar que con esos fondos mi vida iba a cambiar por completo. Había estado tomándomelo con calma durante las últimas semanas, esperando el gran momento, pero en cuestión de horas tendríamos los fondos y podríamos empezar a operar a gran escala. Tendría empleados, nóminas, trámites y problemas que no podía anticipar en aquel momento.

El futuro era incierto y un poco aterrador, pero estaba emocionada. Nunca me había sentido tan preparada para un reto, pero recé en silencio para no meter la pata.

Estaba muy relajada y un poquito borracha cuando Blake entró en el baño.

—¿Un día duro en la oficina? —se sentó en el borde de la bañera, donde tenía apoyados los pies.

—Necesitaba un día de descanso antes de que mi vida se complique para siempre.

—Después de mañana, seguro que será así.

—¿Qué quieres decir? —pregunté, sabiendo que conocería cualquier trato que se firmara en Angelcom.

—Sé que vas a firmar mañana con Max. ¿Podemos hablar de las alternativas?

—No, Blake, porque ya hemos hablado de esto y la repuesta sigue siendo no —afirmé, intentando mostrarme decidida.

—No conoces a Max, pero estás dispuesta entregarle las riendas de tu empresa.

—Es lo mismo que haría contigo. ¿Cuál es la diferencia?

—Yo nunca he dicho que quisiera la propiedad de tu empresa. Podrías darme acciones o podríamos llamarlo un préstamo, me da igual.

—Exactamente.

Blake puso los ojos en blanco.

—No era eso lo que quería decir, Erica.

Me incorporé, mojada y cubierta de burbujas.

—¿Me das una toalla?

—No hasta que hayamos hablado de esto —Blake no se movió.

Me miraba fijamente, los brazos cruzados sobre el pecho, no tan distraído por mi desnudez como me habría gustado.

Afortunadamente, podía vivir sin una toalla.

—Tienes que parar —le advertí.

—Y tú tienes que confiar en mí —replicó en voz baja.

Algo en su tono me dio que pensar. ¿Por qué era tan importante para él? ¿Qué había cambiado entre nosotros en las últimas semanas para que la inversión de Max en Clozpin fuese tan intolerable? Le habría preguntado si pensara que iba a responder sinceramente.

A pesar de eso, nada de lo que dijera me haría cambiar de opinión. Había tomado una decisión y Blake debía saber de una vez por todas que no podía controlarme a su gusto.

Salí de la bañera y, con las prisas, estuve a punto de resbalar en el suelo de azulejos. Blake se levantó para ayudarme, pero me aparté.

—Esta conversación ha terminado. Tienes serios problemas de control y te recomiendo que acudas a terapia porque, evidentemente, yo no puedo ayudarte.

—Muy bien, yo tengo problemas de control y tú tienes problemas para confiar en la gente, Erica. Seguramente podríamos acudir juntos a terapia.

Lo fulminé con la mirada. Al menos mis problemas tenían raíces en experiencias duras. Los de Blake sin duda eran debidos a su éxito y, que yo supiera, ese éxito no había sido traumático en absoluto.

Aparte de eso, siempre había odiado la terapia y que me devolviera la insinuación me hizo sentir mezquina.

Apreté los dientes mientras me envolvía en la toalla.

—Vete al infierno.

—Erica, yo soy así, no puedo evitarlo. Y si intento llevar el control de la situación, por favor comprende que tengo razones sólidas para hacerlo.

Tomé aire, decidida a no convertir aquella conversación en una pelea.

—Es muy sencillo, Blake. Yo necesito equilibrio en mi vida y no voy a tener una relación contigo para después soportar que me des órdenes como si fuera una marioneta. Eso me mataría, nos mataría a los dos.

—¿Entonces tu decisión es firme? —su pausado tono hizo que sintiera un escalofrío.

—Sí, lo es —entré en el dormitorio para buscar mi querido pantalón de chándal.

Cuando salí, Blake había desaparecido y suspiré, aliviada. Pero de inmediato me envolvió una oleada de tristeza. Se había ido.

Me dejé caer sobre la cama. La línea entre mi anhelo por él y mi enfado empezaba a ser borrosa mientras miraba el techo. Solo era una pelea, me dije. Todas las parejas se peleaban.

¿Pero qué significaba para nuestra relación? ¿Y si era el final? ¿Cómo iba a vivir sin él?

Por un lado había querido que se fuera o al menos que dejase el tema de la inversión. Ahora que se había ido no podía explicar el extraño vacío que sentía en mi interior.

Cerré los ojos, intentando convencerme de que después de firmar el trato con Max encontraríamos una solución. Rezaba para que así fuera.

Estuve dando vueltas en la cama toda la noche y desperté cubierta de sudor, desorientada al notar que Blake no estaba a mi lado. Lo echaba de menos y quería olvidar la pelea.

Fantaseé que entraba en su apartamento con la llave que me había dado para seducirlo, que admitía que lo amaba. Todo tenía sentido cuando estaba dentro de mí, haciéndome el amor, llevándonos a un sitio donde nada más importaba.

Ahora nada tenía sentido. Me pasé las manos por la piel sudorosa, deseando que fueran las suyas. Si estuviera a mi lado sabría que no habíamos roto, que seguía queriéndole a pesar de su carácter fastidioso y dominante.

Cuando empezaba a amanecer tuve que hacer un esfuerzo para no ir a buscarlo. Pero, de repente, experimenté una oleada de ira. ¿Cómo podía hacerme esto? Me volvía loca, no me permitía pensar en nada más.

Exhausta y angustiada, me sentía enferma de deseo, perdiendo el sueño porque no podía... porque no estaba dispuesta a darle lo que quería.

Querría hacerlo, ¿pero a qué precio?

Por la mañana, asomé la cabeza en la habitación de Sid y allí estaba, roncando. No me molesté en susurrar ya que mi socio dormía como un tronco.

—Oye, necesito un favor.

Él levantó la cabeza, sin abrir los ojos.

—¿Qué?

—Ayer fui a ver a mi padre y me ha invitado a pasar el fin de semana en Cabo Cod con su familia. No sé si voy a quedarme, ¿pero podrías prestarme tu coche?

Sid se levantó, vestido con la ropa del día anterior, que es como solía dormir.

—Toma —murmuró, dándome las llaves—. Pero no lo conoces. ¿Seguro que quieres ir sola?

—Se presenta al cargo de gobernador, así que no creo que sea un asesino, pero agradezco tu preocupación.

Él sacudió la cabeza mientras se dejaba caer de nuevo en el futón, desapareciendo entre las mantas.

Unos minutos después, guardé una bolsa de viaje en el Audi plateado y ajusté el asiento para acomodar mis piernas, más cortas que las de Sid.

Mi socio vivía del aire, pero no ahorraba en gastos cuando se trataba de su coche, de modo que arranqué con mucho cuidado. Si arañaba la carrocería, el pobre se llevaría un disgusto.

Tuve la suerte de encontrar aparcamiento cerca de la oficina de Max, y me miré en el espejo retrovisor. Cerrar el trato ya no dependía de mí, pero quería tener buen aspecto para la ocasión y me había puesto un vestido de tubo ajustado, sujeto con un cinturón fino y zapatos con tacones altos.

Entré en la recepción de Angelcom, sintiéndome como la fundadora y presidenta de una empresa importante en la que estaba a punto de convertirme, y la recepcionista me llevó a la sala de juntas en la que había hecho mi presentación.

Me encontré sola de nuevo, recordando que Blake me había vuelto loca ese día, y se me encogió el corazón al pensar que lo que iba a pasar en unos minutos podría cambiarnos para siempre.

Max entró en la sala y su brillante sonrisa despejó mis dudas.

—¡Hoy es el gran día!—exclamó.

Su alegría era contagiosa. Después de un abrazo me besó en la mejilla de nuevo, pero era tan feliz que no me importó.

—Bueno, ¿por dónde empezamos?

Junté las manos, dispuesta a firmar lo antes posible hasta que dejó sobre la mesa un montón de documentos del mismo grosor que un ejemplar de la revista *Vogue*.

Docenas de multicolores etiquetas adhesivas asomaban por entre las páginas, indicando dónde debía firmar. Sentí una oleada de ansiedad.

—¿Todo eso?

—Desgraciadamente, sí. Por eso estas cosas tardan tanto en prepararse.

—No voy a entregarte mi primer hijo, ¿verdad?

Intenté bromear mientras me sentaba frente a él, preocupada de no tener tiempo suficiente para revisar toda la documentación. ¿Y si había alguna cláusula oculta, algo con lo que no estuviera de acuerdo? ¿Y si no sabía lo que estaba firmando?

—De él me lo espero todo —escuché una voz detrás de mí.

Me di la vuelta cuando Blake entraba en la sala de juntas, con unos tejanos y un simple jersey. A pesar del informal atuendo, tenía un aspecto formidable.

—¿Quería algo, señor Landon? —Max no podía disimular su irritación.

—Quería hablar unos minutos con la señorita Hathaway.

—Sí, claro. Terminaremos enseguida.

—Ahora.

—¿Hay algún problema? —preguntó Max, con los dientes apretados.

—Tú eres el problema.

Max se levantó con tal violencia que su silla salió rodando y golpeó la pared de cristal.

—Tómate tu tiempo, Erica —me aconsejó, fulminando a Blake con la mirada antes de salir y cerrar la puerta.

Mi corazón latía acelerado, producto del alivio de ver a Blake carcomido por el miedo de que el trato se materializara. Si Blake iba a poner dificultades, ¿por qué iba a molestarse Max conmigo? De hacerlo tendría que soportar meses o años de problemas y discusiones.

—¿Se puede saber qué haces aquí? —le espeté.

—No quería hacer esto, pero no me has dejado alternativa.

—Ya te dije que había tomado una decisión. Está prácticamente hecho.

—No, no lo está. Aún no has firmado nada.

—Pero pienso hacerlo y sugiero que nos dejes en paz.

—Es demasiado tarde para eso.

—¿Demasiado tarde para qué? —pregunté, un poco asustada.

—He transferido el doble de los fondos que necesitas a tu cuenta de negocios.

Me quedé sin habla, helada y atónita ante tal atrevimiento, aunque si debía ser sincera en realidad no me sorprendía del todo.

—No te molestes en pedirle al banco que anule la transferencia porque impediré que consigas otro inversor en Boston —siguió Blake—. Tú sabes que puedo hacerlo.

—¿Y si Max sigue queriendo invertir?

—No querrá —afirmó él—. Aquí no se firma nada sin mi autorización y no voy a dársela.

—¿Por qué haces esto?

Me sentía acorralada. Podría buscar otra solución, pero sabía que él siempre me llevaría la delantera.

—Me importas más de lo que nunca le importarás a Max, aunque él intentará convencerte de lo contrario.

—No se trata de tu rivalidad con Max, estamos hablando de mi vida. ¡Me he esforzado durante años para conseguir esto y tú te lo has cargado!

Golpeé la mesa con el puño antes de levantarme, furiosa.

—Esto no es nada comparado con lo que podrías conseguir. Que creas que me lo he cargado demuestra lo ingenua que eres.

Sin pensar, le di una sonora bofetada, el sonido rompió el silencio de la sala como sus palabras me estaban rompiendo a mí. Me dolía la mano del golpe y estaba sin aliento, tan sorprendida como él.

Blake solo vaciló durante un segundo antes de sujetar mi nuca para besarme, aplastando mis labios.

Apreté los puños haciendo un esfuerzo para no rendirme. No, no iba a ceder, esta vez no. No se lo permitiría.

Libraba una guerra conmigo misma, luchando contra lo que me hacía sentir mientras sus labios aplastaban los míos, haciéndome suya con cada beso.

«Eres mía», me parecía escuchar su voz dentro de mi cabeza.

Un gemido escapó de mi garganta cuando me percaté de que estaba devolviéndole el beso, respondiendo sin poder evitarlo. Temblé con todo el amor y el odio que sentía por aquel hombre. Me odiaba a mí misma por desearlo de ese modo.

Había hecho que me rindiera por agotamiento.

Había ganado.

19

Apenas había salido de la ciudad, en dirección a Cabo Cod, y ya estaba en medio de un atasco, tan enfurecida que me gustaría ir a cien y no a diez por hora, que era lo que señalaba la aguja del cuentakilómetros.

Cientos de personas se dirigían al Cabo ese viernes por la tarde y, aunque no estaba de humor para una reunión familiar con mi recién encontrado padre, quería alejarme de Blake todo lo posible.

De alguna forma, había encontrado fuerzas para dejarlo en la sala de juntas después de disculparme con Max, sin contarle los detalles porque sabía que Blake lo haría encantado.

Que se fueran al diablo los dos. Podían seguir con su rivalidad hasta que se destruyeran el uno al otro en una explosión de egos, me importaba un bledo.

Blake no me había dejado otra alternativa profesional, pero no pensaba recompensarlo con una relación. Lo amaba locamente y con una pasión que tal vez no volvería a encontrar nunca, pero no iba a ser una mantenida. Primero el apartamento y ahora mi negocio... y seguiría entrometiéndose hasta que estuviera bajo su poder por completo, sometida a sus caprichos.

En el dormitorio quería eso, lo deseaba, pero en la vida real necesitaba barreras, límites. Y por mucho que lo intentase, no podía hacer que Blake lo entendiese. Estaba tan furiosa que echaba humo y golpeé el volante con la mano.

Un par de horas después, el tráfico se había reducido y me abrí paso por la autopista, cambiando de carril como un corredor de Fórmula 1 hasta que el GPS me indicó que debía tomar una de las salidas.

Conduje por sinuosas carreteras hacia mi destino, con un poco más de cuidado. La orilla de la playa estaba salpicada de mansiones enormes que aprovechaban la hermosa vista del mar.

Aparte de un corto viaje con Alli, en los ocho años que llevaba viviendo en Nueva Inglaterra había disfrutado poco de aquel paraíso, pero quizá eso estaba a punto de cambiar.

Llegué a un camino de entrada frente a una enorme casa de tres plantas, con un Lexus monovolumen aparcado en la puerta.

Había llegado.

Tomé aire durante unos segundos y solté el volante, intentando olvidar mi enfado con Blake. Aquel debía ser un día feliz para mí y tal vez aún no era demasiado tarde para eso.

Bajé del coche y miré por encima de la cerca que separaba el camino del pequeño jardín y la playa, un poco más abajo. La casa estaba construida en un escarpado acantilado, sobre los demás vecinos, ofreciendo una vista impresionante del mar.

—¡Erica! —escuché la voz de Daniel desde la puerta trasera.

Tenía un aspecto diferente, informal, con un pantalón caqui y una camisa de lino, sonriendo mientras se acercaba.

—Me alegro de que hayas venido.

Su amistoso abrazo me tomó por sorpresa, pero lo agradecí.

—Yo también —murmuré, abrazándolo con fuerza y deseando no estar tan emocionada.

Si no tenía cuidado me pondría a llorar y entonces sabría que no buscaba su dinero, pero pensaría que estaba de los nervios o era una tonta sentimental.

—Ven, entra, quiero presentarte a Margo.

Tomó mi bolsa de viaje y la dejó en el vestíbulo antes de entrar en un enorme salón con muebles blanqueados, sofás cubiertos por telas blancas y almohadones de un azul apagado. Todo en aquella casa era típico de un refugio en la costa.

Me llevó a la cocina, donde una mujer alta de pelo castaño rojizo estaba haciendo una ensalada.

—Erica, te presento a Margo.

Margo se quitó el delantal y se acercó a mí con los brazos abiertos. Era elegante, esbelta, bronceada, con unos pendientes de perlas a juego con un sencillo collar. A pesar de su estatura, cuando la abracé me pareció frágil. Y cuando se apartó, me alegré de haberme puesto un bonito vestido para esa visita.

—Encantada de conocerte. ¿Tienes hambre?

No había comido en todo el día. Estaba nerviosa por la mañana y, desde la reunión, comer era lo último que tenía en mente.

—La verdad es que sí.

—Cenaremos en unos minutos. Cariño, ¿puedes sacar el pescado?

Daniel sacó una bandeja de la nevera.

—¿Quieres una cerveza?

—Sí, claro.

Aunque acabaría borracha si no comía algo rápidamente.

Daniel sacó dos botellas con la mano libre y me hizo un gesto para que lo siguiera.

Salimos al porche y mientras él se ocupaba en la parrilla aproveché para admirar el paisaje. Había pasado todo el viaje echando humo por culpa de Blake en lugar de pensar en cosas sobre las que podría hablar con Daniel para conocernos mejor. Miré el tranquilo océano ante mí. A lo lejos, un puñado de bultos negros se movía sobre las rocas, a los pies del acantilado.

—¿Qué son?

Daniel se giró para mirar.

—Focas. Están ahí todo el día y hacen un ruido del demonio por las mañanas.

Reí al pensar que focas eran los gallos en aquella zona del país.

—Tienes una casa preciosa.

—Gracias. A nosotros nos encanta, es un refugio fantástico.

Cerró la tapa de la parrilla y se puso a mi lado frente a la barandilla que nos separaba del acantilado. Una escalerilla llevaba hasta la playa.

El acantilado era una belleza, pero debía ser peligroso, especialmente si alguien estaba en la playa cuando subía la marea.

Daniel interrumpió mis pensamientos.

—Te he buscado en Google, pero debo admitir que estoy un poco perdido. ¿Qué es Clozpin?

Sonreí, contenta al saber que había hecho ese esfuerzo. El rayo de esperanza que había nacido en mi corazón volvió a la vida.

—Es una red social, una empresa emergente centrada en moda. Ayudamos a la gente a encontrar ropa y a conectar con marcas y diseñadores, ese tipo de cosas.

—¿Y la creaste mientras estabas estudiando?

—Con un par de amigos, sí. Desde que terminé la carrera he estado intentando encontrar fondos y… —hice una pausa, tanteando mis palabras—. Hoy mismo he conseguido la inversión que necesitaba, así que, con un poco de suerte, nos esperan grandes cosas.

—Pero eso es fantástico.

Daniel sonrió, levantando su botella de cerveza en un brindis.

—¿Y tú? ¿Siempre has querido dedicarte a la política?

—En cierto modo. Mi familia ha estado involucrada en la política local durante varias generaciones, así que supongo que era inevitable.

—¿Y cómo va esa carrera hacia el puesto de gobernador?

—Bien. Tenemos buenos apoyos y creo que estamos haciendo una buena campaña. La campaña en medios sociales, aunque sé muy poco sobre ello, también parece estar dando buenos resultados. Seguramente tú podrías contarme un par de cosas sobre eso.

Sin duda hablábamos dos idiomas profesionales completamente diferentes.

—Sobre la campaña… —vaciló, como sopesando lo que iba a decir—. Esto va a sonar raro, pero es algo que debo preguntarte —se pasó una mano por la incipiente barba—. Conocerte ha sido inesperado. Una sorpresa feliz, por supuesto.

—Por supuesto —asentí.

—Muchas cosas dependen de esta campaña, Erica, y no sé cómo decir esto sin parecer… en fin, un ser detestable.

—Prefieres que no se haga público que soy tu hija —lo interrumpí.

Conociendo a los políticos, podría haber estado dando vueltas al tema durante una hora antes de ir al grano.

Su expresión se suavizó y vi un destello de culpabilidad en sus facciones, pero lo entendía. Lo último que deseaba era ser un problema para él.

—No pasa nada. Solo quería tener la oportunidad de conocerte, y espero que aún podamos hacerlo. Yo tengo mi propio negocio en el que trabajar y lo último que quiero es complicarte la vida.

Él asintió, tomando un trago de cerveza.

—En fin, sabemos lo que sabemos y eso es lo más importante, ¿no?

Asentí, pasando la mano por la barandilla.

—Siempre me he preguntado por qué mi madre nunca me habló de ti.

Daniel se irguió, con el ceño fruncido.

—Nuestra relación era complicada… o lo fue cuando descubrió que estaba embarazada. Nuestras familias no iban a alegrarse de la noticia.

—Ya, claro.

La familia de mi madre siempre había sido distante y una familia de clase alta como la de Daniel no habría reaccionado bien al saber que había dejado embarazada a una chica sin estar casado con ella, fuera de donde fuera.

—Cuando se fue a Chicago pensé que iba a… en fin, que iba a interrumpir el embarazo. No volví a saber nada de ella y no quería llamarla y levantar sospechas en su familia.

—¿No volvisteis a hablar después de la graduación?

Él negó con la cabeza, mirando el mar como si la respuestas a todos los interrogantes estuvieran allí.

En ese momento oímos un ruido de neumáticos y cuando di media vuelta vi una cabeza de rizado pelo oscuro que atravesó la verja y entró en la casa.

—Debe ser mi hijastro, es de tu edad.

Daniel hizo un gesto para que entrásemos en el comedor y me preparé para más presentaciones.

Margo estaba colocando una ensalada y un cuenco de arroz al vapor sobre la mesa. El delicioso olor de la comida se mezclaba con el del aire salado y nada me apetecía más que lanzarme sobre la mesa.

El joven entró y se dirigió a ella, pero se detuvo bruscamente al verme.

El mundo pareció quedar en suspenso. La habitación se volvió fría y silenciosa. Escuchaba los latidos de mi corazón, un sonido ensordecedor y doloroso que me helaba hasta los huesos. En una habitación con más gente, estaba sola. Sola con mis recuerdos y la vergüenza con la que me había dejado.

Sentí una enfermiza repulsión mientras intentaba comprender la horrible pesadilla que tenía delante.

Agarré el brazo de Daniel, temiendo que se me doblasen las rodillas. Lo miré como si él pudiera saberlo, pero Daniel señaló al invitado con una sonrisa.

—Erica, te presento a mi hijastro, Mark.

Después de cuatro años, por fin sabía su nombre.

Me excusé inmediatamente para ir al cuarto de baño. Cerré la puerta tras de mí y, haciendo un esfuerzo para controlar el temblor de mis manos, me eché agua en la cara y me miré al espejo. Estaba tan pálida como un fantasma. Sentí una arcada y tuve que contener el deseo de vomitar para purgar el venenoso recuerdo de mi cuerpo.

Tenía que calmarme. Y necesitaba un plan. Mi móvil estaba en el bolso, que había dejado en el salón. ¿Pero a quién podía llamar? ¿Y qué iba a decir?

¿El hombre que me violó en la universidad era mi puto hermanastro?

El destino tenía un curioso sentido del humor. ¿Cómo iba a soportar ese encuentro? Apenas podía mirarlo sin sufrir un ataque de nervios.

Tenía que sentarme a cenar con él como si no hubiera pasado nada; un capítulo entero de mi historia borrado de un plumazo.

Era una emergencia personal, pero no una emergencia de verdad, me dije. Soportaría la cena y después buscaría una razón para despedirme. Ya pensaría en cómo lidiar con Daniel más adelante, aunque tratarlo ahora me parecía completamente imposible.

Me sequé la cara e intenté calmarme antes de salir del baño. Podía hacerlo. Tenía que hacerlo.

Pero en cuanto cerré la puerta, Mark apareció a mi lado.

—¿Algún problema? —murmuró.

Sus ojos eran oscuros, casi negros, mientras se acercaba. Di un paso atrás, poniendo las manos contra la pared, asustada, pero dispuesta a luchar si fuera necesario.

—No te acerques a mí.

Apenas me salía la voz, traicionando mi miedo. Era un puñetero manojo de nervios, no la fiera en la que debía convertirme para asustar a aquel monstruo.

—¿O qué? —se acercó lo suficiente como para que notase el calor de su aliento—. En realidad, esto es perfecto. Siempre he querido tener una hermana.

Pasó un dedo por mi rodilla hasta el bajo del vestido, levantándolo un poco, y todas las células de mi cuerpo despertaron a la vida, experimente una descarga de adrenalina como un relámpago. No volvería a ser víctima de ese hombre, me dije, empujándolo con todas mis fuerzas contra la pared.

—No vuelvas a tocarme, ¿me oyes?

Lo dejé esbozando una sonrisa burlona y corrí al comedor, tan nerviosa o más que antes.

«Ahora sí que van a pensar que estoy como una cabra».

—Erica, ¿seguro que estás bien? —se interesó Daniel cuando me senté a su lado.

—Lo siento, es que no he comido en todo el día. No me encuentro muy bien.

—Ah, no, cariño, tienes que comer.

Margo me sirvió un plato que olía de maravilla y Mark se reunió con nosotros un segundo después, sentándose frente a mí con la misma sonrisa fanfarrona.

Clavé una hoja de lechuga con el tenedor y me obligué a comer. Estaba al borde de un ataque de pánico y mi apetito había desaparecido.

—Mark, Erica tiene una empresa de Internet. Impresionante, ¿no? —comentó Daniel.

A regañadientes, le conté lo que ya le había contado antes a Margo y Daniel, aunque sabía que Mark podría usar esa información para volver a ponerse en contacto conmigo. Mi anonimato, lo único que podría mantenerme a salvo, se había evaporado.

—¿Y tú a qué te dedicas?

Yo también podía jugar al mismo juego, aunque no imaginaba por qué iba a querer buscarlo… salvo para contratar a un matón que le diera su merecido.

—Trabajo en el bufete con Daniel.

—Ah, claro.

Qué suerte para él, dedicarse a violar en la universidad para luego conseguir un puesto en uno de los mejores bufetes de la ciudad gracias a su padrastro. Lo odié más que antes por ello.

—¿En qué parte de la ciudad vives? —me preguntó.

Tomé una porción de sazonado abadejo mientras decidía cómo salir del apuro. No podía mentir delante de Daniel, pero no podía decirle dónde vivía…

El sonido del timbre hizo que diera un respingo.

—Voy yo, cariño.

Margo se levantó y desapareció por el pasillo.

—Deberíais quedar algún día —sugirió Daniel, mirando de uno a otro.

Se había dado prisa en desviar mi atención hacia Mark, pensé, planeando mi escape en silencio. Tenía que volver a casa, a un sitio seguro.

Sí, por fin tenía un hogar propio y no quería estar en ningún otro sitio. De inmediato, pensé en Blake. Daría cualquier cosa por estar con él en ese momento, pero no podía pedirle ayuda cada vez que tenía un problema. Tal vez podría ir a casa de Marie…

—Erica —la cantarina voz de Margo flotó por el aire—. Tienes un invitado.

Levanté la cabeza, sorprendida. Solo una persona podría haberme encontrado allí.

Blake estaba en la puerta, con aspecto informal y perfecto como siempre. Intenté conjurar la rabia que había sentido antes, pero lo único que podía sentir era gratitud, alivio, amor. Tuve que contener el deseo de echarme en sus brazos y dejar que solucionase aquella horrible situación.

—Blake…

Sin decir nada, me tomó entre sus brazos, apretándome con tal fuerza que casi me hacía daño. Enterré la cara en su cuello, respirando su aroma. Todo iba a salir bien, estaba a salvo.

—¿Está aquí?

Tomó mi cara entre las manos para mirarme a los ojos.

—¿Quién?

—Mark.

—Sí… espera, ¿cómo lo sabes?

—Eso da igual. Vámonos de aquí —tomó mi mano y dio media vuelta.

—No, no puedo.

—Erica, he venido a sacarte de aquí. Nos vamos ahora mismo.

—Espera, tengo que despedirme de Daniel.

Blake frunció el ceño.

—Es mi padre. Acabo de encontrarlo y no puedo perderlo tan pronto.

—Muy bien. Preséntame y luego nos iremos.

—Sé bueno —le advertí, antes de llevarlo al comedor.

En cuanto entramos, miró directamente a Mark y su actitud cambió, irradiando una tensión casi palpable. Apreté su mano ligeramente, recordándole que no debía perder la cabeza.

—Daniel, Margo, Mark… os presento a Blake Landon.

Me coloqué el pelo detrás de la oreja en un gesto nervioso. Qué ironía que estuviera presentándole a mi padre, al que acababa de conocer. Y, absurdamente, esperaba que Daniel lo aprobase. Antes parecía haberse sentido orgulloso de mis logros y, desde luego, aprobaría a Blake.

—Blake Landon. Estás con Angelcom, ¿no?

Daniel se levantó para estrechar su mano.

—Eso es. Creo que ha revisado muchos contratos para nosotros —asintió Blake.

—El mundo es un pañuelo, ¿no?

Daniel hizo una pausa, mirando de uno a otro y luego nuestras manos unidas. De repente, se puso serio y me miró como si le hubiera ocurrido algo terrible.

Se había dado cuenta de que Blake lo sabía. Aunque intentaba mantener la compostura, podía leer su expresión como un libro abierto. Nuestro vergonzoso secreto estaba dejando de serlo y eso era algo que no había pronosticado.

Margo se levantó para besar a Blake en la mejilla.

—Por favor, siéntate. Quédate a comer con nosotros.

—En realidad, tenemos que irnos. Hay un pequeño problema con el contrato que acabo de firmar y tengo que resolverlo, pero muchísimas gracias por vuestra hospitalidad.

—Ah, vaya.

Margo hizo un mohín y tuve la clara impresión de que le habría gustado conocer mejor a Blake.

Me despedí de Daniel y Margo con un beso en la mejilla, sin mirar a Mark.

—Vámonos —Blake tomó mi bolsa de viaje, que aún estaba en el vestíbulo.

—No voy a ir a tu casa —le advertí.

—No, iremos a algún sitio donde podamos hablar.

—¿Dónde vamos?

Blake no respondió.

20

—Lo siento, pero no estoy de humor para recluirme en una isla contigo en este momento.

Estábamos en el muelle del ferry y Blake me suplicaba que fuera con él, haciendo lo imposible para convencerme, pero esta vez no iba a ceder.

Sin decir nada, echó el seguro de las puertas y atravesó la pasarela que llevaba al interior del enorme barco.

—¿Qué haces?

—Prometo que tomaremos el ferry de vuelta si no te gusta lo que tengo que decir.

—Te estás portando como un loco. Esto es prácticamente un secuestro.

—Prométeme que no vas a irte.

Dejé escapar un suspiro.

—Lo prometo, pero abre la puerta.

Quitó el seguro y salí del coche para subir por la rampa hasta la cubierta del ferry, donde pasaríamos el resto del viaje hasta Martha's Vineyard. Pero si pensaba que iba a engatusarme de ese modo, estaba muy equivocado.

Me dirigí hacia la proa del barco y elegí una mesa al fondo, sabiendo que Blake iba tras de mí. Me senté y él se reunió conmigo un segundo después. Por fin, lo miré a los ojos, que reflejaban los rayos del sol centelleando sobre el agua. Por el amor de Dios, era tan atractivo como enloquecedor.

Nos quedamos en silencio durante un rato mientras el resto de las mesas iban ocupándose.

—¿Vas a decirme cómo me encontraste? No habrás metido un dispositivo de seguimiento en mi bolsa de viaje, ¿verdad?

Si iba a tener que soportar aquella odisea, Blake tendría que darme respuestas y de inmediato.

—Sid me dijo que habías ido a visitar a tu padre.

—¿Lo preguntaste y te lo contó, así de fácil?

Sinceramente, esperaba que no lo hubiese acosado para conseguir lo que quería, como tenía por costumbre.

—Pues sí. No le hacía gracia que hubieras ido a casa de un extraño.

—Muy bien. ¿Y Mark? ¿Cómo sabías que él estaría allí?

—Había indagado en sus relaciones cuando investigué su identidad y su padrastro y jefe era la más notable. Cuando descubrí dónde habías ido, pensé que había muchas posibilidades de que Mark también estuviera allí.

Ah, claro. Blake conocía la identidad de Mark desde hacía semanas y a saber qué más se habría guardado en la manga. Pero si se había entrometido en su vida, Mark no parecía saber nada.

—Y encontraste la dirección de su casa.

—Erica, no me insultes, por favor —murmuró, tamborileando sobre la mesa con los dedos.

—¿Cómo has aprendido a hacer esas cosas?

—¿A qué te refieres?

—Eres un *hacker*. Me parece una descripción extraña para alguien con tanto dinero y tantos recursos, pero sigues siéndolo.

Él esbozó una perversa sonrisa.

—Solo uso mis poderes para hacer el bien.

—¿Siempre ha sido así?

La sonrisa desapareció.

—Hablemos de Max. Tengo que contarte algunas cosas…

—Ya llegaremos a eso. Dime cómo te convertiste en *hacker*.

Blake levantó los ojos al cielo.

—Innumerables horas delante de un ordenador y cierta propensión para las matemáticas. ¿Satisfecha?

—Si no vas a ser sincero conmigo, no tengo por qué estar aquí —me levanté, pero él sujetó mi mano.

—Por favor, no te vayas.

El ruego que había en su mirada me encogió el corazón, pero estaba decidida a ser firme.

—Habla —le ordené, volviendo a sentarme.

—Fui un adolescente aburrido y antisocial, odiaba al mundo entero. *Hackear* se convirtió en una salida creativa, me daba opciones, hacía que mi vida pareciese menos insignificante.

Intenté imaginar al fabuloso hombre que tenía delante de mí como un adolescente furioso con el mundo, pero no resultaba fácil.

—¿Qué te había hecho a ti el mundo? ¿Tus padres no eran profesores?

—Sí, y tan mal pagados que era una vergüenza. En fin, ellos no tenían nada que ver con mi enfado. Intentaban por todos los medios que saliera de casa, que fuese un chico normal, pero creo que era demasiado… intelectual. Demasiado para mi propio bien. Las noticias, la política, la economía, básicamente todo que hoy sigue siendo un desastre en el mundo, me parecía abrumador, insoportable a esa edad. No podía esconder la cabeza en la arena mientras ocurrían atrocidades por todas partes.

—Y pensaste que podías salvar al mundo desde tu ordenador.

—No. No lo sé…

—¿Cómo acabaste trabajando para el padre de Max?

Miré por encima de mi hombro mientras él exhalaba un largo suspiro. Estaban soltando las maromas, de modo que aún tenía tiempo.

—Ahora o nunca.

—Muy bien, de acuerdo —se inclinó sobre la mesa, bajando la voz para que solo yo pudiese oírlo—. Me uní a un grupo de *hackers* llamado M89, un grupo de chicos tan cabreados como yo, y se nos ocurrió un plan para vaciar las cuentas corrientes de algunos ejecutivos de Wall Street.

—¿Por qué?

—Porque estaban haciéndose ricos con operaciones fraudulentas e intentando cargarse a los que amenazaban con ponerlos al descubierto.

—¿Y qué pasó?

—Que nos pillaron —respondió—. Tuve la suerte de evitar la cárcel y, en el proceso, desperté la atención de Michael, que me acogió bajo su ala. Imagino que hacía falta un capitalista puro y duro para hacerme ver un mundo que tenía sentido.

No salía de mi asombro. Blake parecía tener tan controlada su vida en ese momento que imaginarlo siendo tan imprudente me asustaba. No podíamos haber llegado de forma más diferente a este momento de nuestras vidas.

—Los dos queríamos hacer algo grande, así que yo estudié día y noche para graduarme cum laude mientras tú te dedicabas a *hackear* las cuentas de la gente.

—Y aquí estamos, juntos.

Besó mis nudillos, rozándolos con la lengua, y sentí un cosquilleo en el vientre, pero hice un esfuerzo para concentrarme en el asunto que teníamos entre manos.

—¿Cómo evitaste ir a la cárcel?

Blake se echó hacia atrás, esbozando una sonrisa traviesa.

—Se ha acabado tu tiempo.

Me giré en la silla y comprobé que ya estábamos a varios metros del muelle de Martha's Vineyard.

Una hora después, Blake conducía a toda velocidad por la isla hasta llegar a un paisaje yermo donde las casas eran pocas y dispersas. Me agarré al borde del asiento, convencida de que nos pararían en cualquier momento y ese sería el final de aquel día increíble.

Claro que en aquella isla solo habría un puñado de policías y parecía como si estuviéramos alejándonos de la civilización.

Llegamos hasta una casa grande con tejado de madera de cedro, que se distinguía de las demás solo por su tamaño y porque parecía ser la última en aquella parte de la isla. Subimos al porche, que rodeaba toda la casa, pero en lugar de entrar Blake me llevó a la playa. Atravesamos unas dunas y enseguida vi dos tumbonas de madera blanqueada por el sol sobre la arena, frente a la orilla.

Me quité los zapatos antes de desplomarme en una de ellas. Después de una noche sin pegar ojo, y de todo lo que había pasado aquel día, apenas podía tenerme en pie.

Blake sacó una botella de vino blanco de un cubo con hielo sobre la arena.

—¿Cómo planeas estas cosas, en serio?

Él se limitó a sonreír.

—No creas que voy a contarte todos mis secretos esta noche.

—Podría obligarte —lo amenacé.

Últimamente había desarrollado un buen olfato para sus debilidades.

Sus ojos se oscurecieron.

—Es una idea muy tentadora.

Sin querer, derramó un poco de vino sobre la arena, pero enseguida corrigió la trayectoria y me ofreció la copa. Suspiré después de tomar un sorbo del fresco vino afrutado.

—No estés tan seguro. Sigo enfadada contigo, estoy muy enfadadísima.

—¿Entonces estoy castigado sin sexo?

—Exactamente. Y eso solo es el principio. No puede decirte cuánto vas a tener que compensarme.

—Me gusta compensarte. ¿Por dónde empezamos?

Se sentó a mis pies, haciendo círculos sobre mis muslos con los dedos, besándolos suavemente. Intenté en vano contener la reacción que provocaban sus caricias.

—No puedes arreglar esto con el sexo —le avisé.

Y lo decía en serio, coño.

—¿No? Entonces dime cómo puedo arreglarlo —seguía acariciando mi pierna con roces suaves.

—No lo sé. Pensé que tenías un plan cuando acepté venir contigo.

No iba a ponérselo fácil. Estaba agotada, pero aún me quedaban fuerzas suficientes para dejar las cosas claras. Él dejó de acariciarme y clavó las rodillas en la arena.

—Te quiero, Erica.

«Mierda». «¿Tenía que empezar con eso?»

Tuve que hacer un esfuerzo para contener las lágrimas.

—Eso no cambia lo que has hecho.

—Sé que no es una excusa, pero no quería hacerlo. No me dejaste otra opción.

—Esa no es razón suficiente —repliqué, mirando por encima de su hombro.

—Aceptar inversores es como meterte en la cama con ellos, Erica. No siempre funciona y, si quieres que sea sincero, tu personalidad no cuadra con ese tipo de sociedad. Entiendo lo que sientes por tu negocio, de verdad. Una de las razones por las que decidí no invertir en el primer momento es que tienes un carácter de hierro. Sabía que trabajar contigo no sería fácil y que nos pelearíamos a todas horas, pero no entendí las consecuencias de la inversión de Max hasta hace poco y no podía soportar la idea de perderte por su culpa.

—Max no está interesado en mí —insistí, aunque no estaba segura del todo.

Max, como muchos otros, no respetaba mi espacio personal, pero no había hecho ningún comentario que me llevase a pensar que quería acostarse conmigo. Y aunque así fuera, sencillamente le diría que no.

—Sí lo está, te lo aseguro. No se detendría ante nada para tenerte si eso significara quedar por encima de mí y después de ver lo que pasó con Isaac, no podía arriesgarme.

Sacudí la cabeza, molesta. Isaac me había pillado por sorpresa, pero si Blake me hubiese dado un minuto más me habría librado de él sin ayuda.

—No sé cómo o cuándo hubiera intentado aprovecharse de ti, pero estoy seguro de que lo hubiera hecho de una forma u otra. Te obligaría a hacer cosas con las que tú no estuvieras de acuerdo y tendrías que hacerlas para no perder tu negocio. Y lo haría sabiendo lo importante que es para ti y lo importante que tú eres para mí.

—¿Cómo puedes saber eso?

—Dios, Erica, caminaría sobre brasas encendidas con tal de que estuvieras a salvo. ¿No puedes creer que sabía lo que iba a pasar y no estaba dispuesto a permitirlo?

Cerré los ojos. Las olas acariciaban la playa y una suave brisa flotaba sobre nosotros. Sentía a Blake, su atracción magnética empujándome hacia él.

Era el único hombre al que había amado y allí estaba, profesando su amor por mí, prometiendo protegerme. Era casi demasiado caballeroso como para tomarlo en serio, pero cuando abrí los ojos y miré los suyos no había duda de sus intenciones

Se me hizo un nudo en la garganta, pero no quería rendirme.

—Me estás matando, Blake.

—¿Sabes cuántas mujeres han hecho una presentación en la sala de juntas de Angelcom?

—¿Cuántas?

—Una.

La palabra quedó colgada en el aire; una verdad increíble que dejaba claro lo peligrosa que podía ser mi posición en esa industria. Si era cierto, llegar tan lejos había sido un milagro. Y también explicaba por qué la recepcionista siempre me había mirado como si tuviese dos cabezas.

—No lo sabía.

—Max y yo te deseábamos aquel día por diferentes razones. Y yo no pensaba dejarte escapar sin luchar.

A pesar de los riesgos que supondría trabajar con Blake, mi negocio estaría más seguro que nunca. Solo teníamos que aprender a trabajar juntos sin volvernos locos.

—Bueno, ¿y ahora qué? —pregunté, esperando que él tuviese alguna idea.

—Lo que tú quieras, mientras Max no tenga nada que ver. Ni Isaac.

—Entonces, somos socios.

Él asintió con la cabeza.

—Yo dirijo Clozpin, Blake. Si empiezas a decirme cómo llevar mi negocio, habremos terminado.

Lo decía en serio. En esa cuestión no iba a ceder y, afortunadamente, él no estaba en posición de discutir ya que había transferido los fondos sin que hubiéramos firmado ningún contrato.

Blake me quitó a la copa de la mano para dejarla sobre la arena, junto a la suya.

—Tú eres la jefa, cariño.

Tiró de mí hacia delante, levantando mi vestido y besando ardientemente el interior de mis muslos. Me quitó las bragas con manos expertas y cubrió mi coño con su boca.

—Ay, Dios.

Me agarré a la silla mientras separaba mis pliegues con los dedos, abriendo paso para su aterciopelada lengua. La doble presión me estimulaba de una forma insoportable. Deslizó un dedo dentro de mí mientras chupaba con fuerza, su lengua provocando un terremoto.

Eché la cabeza hacia atrás. «¡Sí!».

Empujaba las caderas hacia su boca cuando él asestó el golpe final, ensanchándome con un segundo dedo mientras rozaba mi clítoris con los dientes, empleando a la vez cierta contención y la presión suficiente para hacerme caer al abismo.

—¡Blake! —grité en la silenciosa y oscura playa, luchando para encontrar el aliento.

La brisa enfriaba mi piel, secando la fina capa de sudor que me cubría, pero Blake no iba a detenerse.

Me corrí una y otra vez, aprisionando sus dedos hasta quedar exhausta y loca de deseo por tener su polla dentro de mí.

Susurré su nombre y le supliqué que parase, sin saber si podría soportar más.

Cuando se levantó esbocé una sonrisa al ver la evidencia de su deseo bajo los tejanos.

—Vamos dentro —susurró, tirando de mi mano antes de que pudiese desnudarlo allí mismo.

Me besó, haciendo que me saborease a mí misma en sus labios, su erección apretaba mi vientre. Siempre demasiado y, sin embargo, nunca suficiente, la fuerza de mi deseo por él no dejaba de sorprenderme.

Seguí a Blake hasta el interior de la casa y me llevó directamente al dormitorio, una enorme habitación de techos abovedados y paredes pintadas de blanco.

La casa de los Fitzgerald no podía compararse ni en tamaño ni en elegancia. Daniel provenía de una familia adinerada, pero la realidad era que Blake seguramente podría superarlo.

La cama, cubierta por un esponjoso edredón blanco, era la pieza central de la habitación y se convirtió en lo único importante mientras contaba los segundos hasta que pudiera yacer sobre ella, desnuda.

Blake desabrochó mi vestido despacio, tomándose su tiempo y provocándome con sugerentes caricias. Me libré del vestido para acercarme a la cama y me senté de rodillas, esperando pacientemente mientras él se desnudaba. Se tumbó a mi lado con la gracia de un predador acechando a su presa… y yo estaba de humor para ser cazada.

Me colocó debajo de él y abrió mis piernas con las suyas, tomando un pezón entre los labios y chupando con fuerza, tentando luego la punta con su lengua. Me arqueé hacia él y enredé mi pierna con las suyas, intentando acercarlo más. No se movió un centímetro.

—Eres muy inquieta —bromeó, acariciando el interior de mis muslos, a unos centímetros de donde lo deseaba de verdad.

—Tócame, por favor.

Él esbozó una sonrisa.

—Levanta los brazos.

Deseando complacerlo, por si de ese modo dejaba de torturarme, obedecí. Los sujetó contra el cabecero y me quitó una de las pulseras para engancharla a la otra, creando así un carísimo par de esposas.

—Blake, no… se van a romper.

—Si no te mueves, no se romperán.

—¿Y cómo no voy a moverme? Me estás volviendo loca.

Controlarme cuando él me sujetaba era una cosa, pero no sabía cómo iba a hacerlo sin su ayuda.

—Autocontrol —dijo sencillamente—. Aguanta ahí —añadió, apretando mis manos.

Tragué saliva y me agarré al cabecero de metal, muy consciente de todas las sensaciones que experimentaba y de la reacción física que tenía que controlar para no cargarme el precioso regalo de Blake.

Apenas estaba tocándome y ya estaba revolviéndome de deseo.

Empezó por abajo, besando los dedos de mis pies, provocando una oleada de agonía que subía hasta mi sexo. Aquel hombre conocía todos los trucos.

Intenté controlarme, sabiendo que a ese paso tardaría mucho en llegar donde yo quería que llegase. Siguió depositando besos húmedos sobre mis muslos, mi estómago, metiendo la lengua en mi ombligo, lamiendo mis pechos y mis clavículas, soplando suavemente sobre mi cuello hasta hacer que se me pusiera la piel de gallina.

—¿Cómo te sientes?

Rozó mis labios con los suyos mientras esbozaba una arrogante sonrisa.

Con todas las terminaciones nerviosas en alerta, cada célula de mi cuerpo me empujaba hacia el suyo, o tanto como me lo permitían mis restricciones.

—Viva —susurré, aguantando como podía.

—Bien.

Sujetó su polla, lubricándome con mis propios jugos antes de deslizarse entre mis pliegues. Me agarré con fuerza al cabecero al sentir la fricción en el clítoris y entonces, sin más preámbulos, se enterró en mí con un fuerte envite.

Grité, agarrándome al cabecero para no romper las pulseras.

Buscó mis labios entonces en un beso enfebrecido. Gemí en su boca mientras empujaba dentro de mí una y otra vez, con una fuerza que me provocaba espasmos incontrolables. Apenas podía respirar anticipando la prometida liberación.

Clavé los talones en sus muslos, instándolo a empujar con más fuerza, desesperada por él. Blake levantó una mano y soltó una de las pulseras para volver a ponerla en mi muñeca. Libre de mis ataduras, agarré su pelo y lo besé con una pasión que solo guardaba para él. Necesitaba más, lo necesitaba todo.

Lo supiera Blake o no, no pensaba dejarlo escapar.

—Te quiero —susurré, mirándolo a los ojos.

Necesitaba que lo supiera después de todo lo que había pasado. Él se apartó un poco, mirándome con una expresión casi dolorida, como si esas palabras le hubiesen llegado a lo más hondo.

—Hazme el amor. Por favor, Blake, solo quiero sentirte a ti ahora mismo.

Y durante el resto de la noche eso hizo. Me amó con cada magistral embestida, recordándome que nuestros cuerpos estaban hechos el uno para el otro. Yo estaba agotada física y emocionalmente, pero Blake no parecía cansarse nunca. Cuando parábamos un momento, mis perezosas caricias se convertían en ansiosas demandas y volvía a tomarme, cada vez de forma tan estremecedora como la última, hasta que caímos uno en brazos del otro, rendidos.

Por la mañana me despertó el sonido del mar. Las gaviotas volaban en el cielo, sobre la ventana de nuestra habitación.

Salté de la cama con cuidado para no despertar a Blake y me puse una camiseta suya, dejando que su aroma me envolviera mientras iba a la cocina. Tomé un plátano del cuenco de fruta en la cocina y después me senté frente a la mesa del comedor con mi portátil, mirando el mar.

Empecé a escribir un correo al profesor Quinlan, dirigiéndome a él como tal. Por mucho tiempo que pasara, seguramente nunca sería capaz de llamarlo Brendan.

Busqué las palabras adecuadas para describir mi situación. Él conocía la historia de Max mejor que muchos, pero esperaba que aquel cambio de planes no lo afectase negativamente. Por si acaso, decidí explicarle la situación. Escribí un borrador y leí el mensaje, sintiéndome aturdida por cómo había cambiado mi vida en las últimas cuarenta y ocho horas.

Y yo pensaba que la universidad era estresante.

Envié el correo y empecé a mirar algunas páginas antes de pinchar la de Clozpin. El gráfico de carga del navegador daba vueltas indefinidamente.

La página había vuelto a caerse.

«Mierda». Llamé a Sid, pero no respondió. Volví a llamar y nada. Corrí al dormitorio. No quería despertar a Blake, pero estaba preocupada.

Me tumbé a su lado, pasando una pierna sobre la suya y besándolo suavemente. Si tenía que despertarlo, al menos lo haría de manera agradable.

Por fin, abrió los ojos, con una sonrisa y un «empalme matutino» como para marearse. Pero, por tentador» que fuese, lo necesitaba para algo bien diferente en ese momento.

—Cariño, la «página ha vuelto a caerse y no logro hablar con Sid.

Se levantó y, después de ponerse los tejanos, me siguió hasta el salón. Miró un momento la pantalla de mi ordenador y luego sacó el suyo de la bolsa de viaje.

—¿Café? —pregunté.

—Sí, por favor —respondió, dejándose caer en el sofá.

En un segundo estaba totalmente concentrado, aunque aún medio dormido, su pelo adorablemente despeinado. Conseguí averiguar cómo funcionaba la cafetera y mientras esperaba volví a refrescar la página. En esta ocasión apareció de inmediato, pero con un logo grande y desconocido que ocupaba toda la pantalla. El texto del logo decía *M89*.

Blake tecleaba furiosamente y no me atreví a preguntar, pero tenía la horrible impresión que ya no éramos un objetivo elegido al azar.

Le llevé una taza de café, que tomó sin decir nada, trabajando como si yo no estuviera allí.

—¿Puedes contarme qué está pasando? —pregunté por fin, nerviosa.

Me miró con ojos cansados.

—La foto que nos hicieron en el congreso, en Las Vegas, se ha hecho viral. Seguramente habréis tenido un aumento del tráfico, la mayoría legítimo, y ellos se han dado cuenta.

—¿Ellos?

Blake vaciló.

—Entonces no nos han elegido al azar.

—No, ya no —respondió, haciendo un gesto de pesar.

—¿Por qué te atacan, Blake?

Él sacudió la cabeza, pasándose las manos por el pelo.

—Lo siento, Erica, pero voy a solucionarlo, te lo prometo.

Asentí, convencida de que lo haría.

Agradecimientos

Redescubrirme a mí misma como escritora a través de esta novela ha sido un proceso fascinante y estaré eternamente agradecida a los que han hecho posible esta experiencia.

Nunca podría haberse hecho realidad sin el inquebrantable y entusiasta apoyo de mi marido. Gracias por animarme a cada paso y por dejar que desapareciese durante horas, y a veces días, para poder contar esta historia.

Un agradecimiento especial a mi fabulosa editora, Helen Hardt, por corregir mis dudosos participios y por empujarme a crear una historia sexy y emotiva que me siento orgullosa de compartir con el mundo.

Gracias a la comunidad de escritores en Twitter. Esta novela fue escrita a #1k1hr y #5hourenergy al mismo tiempo y tener compañeros de escritura ha marcado la diferencia.

Gracias a Kurt y Luc por su amistad, lealtad y genialidad como programadores. Ojalá vuestros ojos honren esta página de la novela.

Y por último, y no por ello menos importante, muchas gracias a todos los fans que me han demostrado su entusiasmo y apoyo. Habéis hecho que cruzar la línea de meta tenga un nuevo significado y estoy deseando compartir la segunda parte de la historia de Blake y Erica con vosotros.